11/7 (20.-)
10.-

Walter Holtzapfel

«Die Medizin muß noch ganz anders werden»

WALTER HOLTZAPFEL

«DIE MEDIZIN MUSS NOCH GANZ ANDERS WERDEN»

MEDIZIN – PÄDAGOGIK – HEILPÄDAGOGIK

VERLAG
AM GOETHEANUM

Gesammelte Schriften, Artikel und Vorträge

Einbandgestaltung Gabriela de Carvalho
Zeichnungen H. Joliet, A. Wüthrich, W. Roggenkamp

Gesamtherstellung: Freiburger Graphische Betriebe
ISBN 3-7235-0738-7

Inhalt

Die Anmerkungen befinden sich jeweils am Ende der einzelnen Kapitel

Wendepunkte in der Medizin

In der Entwicklung der Medizin gibt es Wendepunkte, in denen eine entscheidende Richtungsänderung erfolgt. Ein solcher Umschwung vollzog sich mit Beginn der Neuzeit.

Bis dahin hatten die Ärzte ihre Kenntnisse aus den überkommenen Resten einer alten Weisheit geschöpft, wie sie sich in den Werken antiker Schriftsteller, besonders in denen des berühmten römischen Arztes Galen, erhalten hatte. Wohl hatte man schon begonnen, die Zerlegung von Tieren und vereinzelt auch vom menschlichen Leichnam heranzuziehen. Wenn aber der dabei erhobene Befund dem der Schrift widersprach, so galt die Autorität der Schrift und nicht der unmittelbare Augenschein. Jetzt aber vollzogen die führenden Forscher eine Blickwendung. Nicht mehr das überlieferte Pergament war für sie maßgebend, sondern die eigene Erfahrung an der Natur. Das scheint uns heute selbstverständlich, bedeutete aber damals eine Haltung, die mit Lebensgefahr verbunden sein konnte, wenn sie der herrschenden Lehrmeinung widersprach. So wagte der große Vesal, der Begründer der naturwissenschaftlichen Anatomie, als Professor in Padua nicht, dort seine Anatomie zu lehren, sondern er trug anhand der alten Schriftsteller vor. Und als dann im Jahre 1542 sein grundlegendes Werk «Über den Aufbau des menschlichen Körpers» erschien, da brach ein Sturm der Entrüstung los. Vesal mußte seinen

Lehrstuhl aufgeben. Sein ehemaliger Lehrer Sylvius verfaßte eine Gegenschrift unter dem Titel «Abwehr der Verleumdung eines Wahnsinnigen gegen die Anatomie des Hippokrates und Galen».

Jedoch die neue Denkungsart setzte sich gegen alle Widerstände durch, wenn auch die Tradition sich noch lange daneben erhielt. Schritt für Schritt entstand das imponierende Gebäude der naturwissenschaftlichorientierten Medizin. Unermeßlich sind die Fortschritte, die erzielt wurden. Aber allmählich machten sich auch bestimmte Schattenseiten dieses Fortschritts bemerkbar, die in unserer Zeit unübersehbar geworden sind.

Die naturwissenschaftliche Richtung sieht ihr Ideal darin, bei der Forschung alles subjektive Erleben des Menschen auszuschalten und nur das zu berücksichtigen, was ihr als die objektive Sprache der Tatsachen gilt. Diese Methode, auf die Medizin angewandt, bringt es mit sich, daß aus den dabei gewonnenen Vorstellungen über Gesundheit, Krankheit und Heilung der Mensch selbst immer mehr verschwindet. Ein sinnfälliges Bild für diesen Tatbestand liefert der Anblick eines modernen Krankenhausbettes für extreme Situationen, wenn es so von Apparaturen umstellt ist, daß man es schwer hat, zum Kranken selbst durchzudringen. Zudem sind Arzt und Krankenschwestern von den vielen Untersuchungen häufig derart in Anspruch genommen, daß kaum noch Zeit zur menschlichen Begegnung mit dem Patienten bleibt.

Eine weitere Eigentümlichkeit der naturwissenschaftlichen Forschungsmethode besteht darin, daß sie die Tendenz hat, auf allen Gebieten ins Kleine und immer Kleinere vorzustoßen, bis sie zu einer punktförmigen Entität gelangt, die sie dann als den maßgeblichen Faktor auf dem betreffenden Gebiet ansieht.

Hatten die alten Ärzte die Krankheit noch als Störung der den ganzen Körper durchdringenden Prinzipien begriffen, die sie als Säftemischungen und -entmischungen bezeichneten, so wurde nun der Sitz der Krankheit in dem isolierten Organ gesucht. Ihren einstweiligen Höhepunkt erreichte diese Tendenz in der Virchowschen Zellularpathologie, welche die kleinste organische Einheit, die Zelle, als Ausgangspunkt der Krankheit ansah.

Auf dem Gebiet der Krankheitsursachen wurde die Suche nach solchen punktförmigen Faktoren durch die Entdeckung der «Erreger», der Bakterien und Viren, befriedigt. Damit war zugleich die Krankheitsursache vom Menschen weg nach außen verlegt.

In der Heilmittelforschung führte die gleiche Tendenz, beispielsweise auf dem Gebiet der Pflanzenheilkunde, dazu, nicht mehr das Ganze der Heilpflanze als heilendes Prinzip anzuerkennen, sondern einen bestimmten Wirkstoff aus ihr zu isolieren, für den die übrige Pflanze dann nur noch Ballast bedeutete. In der Folge strebte man danach, diesen Wirkstoff unabhängig von der Pflanze herzustellen, und schließlich ging man dazu über, synthetisch erzeugte Stoffe, die überhaupt keinen Zusammenhang mehr mit einem Naturvorbild haben, auf ihre medizinische Brauchbarkeit zu erproben.

Die Krankheitsbehandlung wird unter solchen Gesichtspunkten zu einer Auseinandersetzung zwischen dem isolierten Arzneistoff und dem als Krankheitsursache angenommenen Faktor. Der Mensch selbst ist in diese Auseinandersetzung nicht miteinbezogen. Es gibt nur noch den Boden ab, auf dem sie sich vollzieht. Er stellt die Retorte dar, in der die Reaktion des Heilmittels mit der Krankheit abläuft.

Wir sind mit solchen Vorstellungen über Krankheit, Heilung und Heilmittel in eine Sackgasse der medizinischen Entwicklung geraten, aus der nur ein ähnlich entscheidender Umschwung wieder herausführt wie damals am Beginn der Neuzeit.

Ein Schlaglicht auf die jetzige Situation wirft das Problem, das durch die sogenannte Nebenwirkungen der heutigen Arzneimittel aufgeworfen wird. Diese werden schon fast für die selbstverständliche Begleiterscheinung einer wirksamen Behandlung gehalten. Was spricht sich darin aus? Man zielt auf einen bestimmten Krankheitspunkt und möchte nur diesen treffen; es zeigt sich aber, daß dies gar nicht geht, denn die Behandlung trifft doch den ganzen Menschen, was nun – aber in ganz unerwünschter Weise – in den Nebenwirkungen anschaulich wird, die an ganz verschiedenen Stellen und auf verschiedenen Ebenen des Geschehens auftreten. – So ließen sich noch weitere Symptome dafür anführen, daß das «Punkt-Denken» ungeeignet ist, das Wesen von Krankheit und Heilung zu erfassen.

Wieder ist eine Blickwendung erforderlich. Nicht Abkehr vom Menschen, sondern Einbeziehung des Menschen auf allen Gebieten, und zwar vollumfänglich – nach Leib, Seele und Geist. Nicht Einengung des Blickfeldes auf einen punktförmigen Bezirk, sondern Erweiterung auf die großen Zusammenhänge, innerhalb derer der Kranke und das Heilmittel stehen.

Dann ist nicht mehr die Zelle oder ein anderer isolierter Komplex der Ausgangspunkt der Krankheit, sondern der Mensch mit der gesamten Verflechtung seiner organischen Vorgänge, mit seinem inneren Erleben, mit seiner ganzen schicksalsmäßigen Umwelt, mit seiner Biographie.

Dann ist auch die Heilung etwas, das auf das Ganze des Menschen geht. Eine Heilung, die die naturwissenschaftlich faßbare körperliche Veränderung beseitigt und dabei den Patienten in einem halbgesunden Zustand zurückläßt, ist keine Heilung. Aber auch eine Heilung, die den Menschen zwar arbeitsfähig macht, ihn aber in seinem Wesen vergröbert, ist keine Heilung. Immer sind Bewußtsein und Persönlichkeit des Kranken entscheidend mitbeteiligt.

Rudolf Steiner (1861–1925), der Begründer der Anthroposophie, hat ausgeführt, wie eine «Erweiterung der Medizin» erreicht wird, wenn auch die nicht naturwissenschaftlich erfaßbaren Bereiche im Menschen in die Betrachtung von Krankheit und Heilung einbezogen werden. Er hat Methoden angegeben, die so exakt und objektiv zum Erfassen dieser Bereiche führen, wie es die naturwissenschaftlichen auf ihrem Felde tun. Er blieb nicht bei der allgemeinen Forderung stehen, daß man das Zusammenwirken von Leib, Seele und Geist beachten müsse, sondern er hat in der Darstellung der «Dreigliederung» der menschlichen Organisation gezeigt, wie dieses Zusammenwirken auf jeder Stufe des Organismus in differenzierter Weise verwirklicht wird.

Der von einer Krankheit wirklich Geheilte kehrt mit gewandeltem Bewußtsein in das Leben zurück. Im tiefsten Grund seiner Persönlichkeit hat er diese Verwandlung erstrebt und durch das Mittel der Erkrankung zu erreichen gesucht. – Bei einer derartigen Auffassung wird die Heilung aus einem Geschehen, das der Kranke passiv in sich ablaufen läßt, zu einem Vorgang, an dem er mit seinem ganzen Wesen teilnimmt. Wenn man von Selbstheiligungskräften spricht, so deutet man auf die in der Heilung wirksame Eigenaktivität. Ein Heilmittel in diesem Sinne tritt nicht mehr als ein Fremdvorgang auf, sondern als ein Prozeß, der sich in die schon vorhandenen Selbstheilungstendenzen hineinstellt und sie anregt.

Der Mensch und das Heilmittel sind innerlich verwandt. Beide haben sich im Laufe der Evolution aus einer gemeinsamen Wurzel entwickelt. Der Mensch hat sich diesem Zusammenhang in seinem bewußten Tagesleben entzogen. In der Heilung kehrt er noch einmal zurück zu den Kräften, die ihn früher getragen haben, um durch sie einen neuen Ausgangspunkt für seinen weiteren Lebensweg zu gewinnen.

Auch das Heilmittel erfordert eine erweiterte Betrachtung, die beispielsweise auf dem Gebiet der pflanzlichen Heilmittel dazu führt, daß man nicht mit dem isolierten Wirkstoff arbeitet, sondern das Prinzip der ganzen Pflanze im Medikament einfängt. Dieses Prinzip der ganzen Pflanze erweist sich als sehr viel umfassender, als der erste Anschein verraten kann. Dazu gehört nicht nur die Berücksichtigung von Boden, Klima, Sonnenscheindauer und anderen Gestirnseinflüssen, sondern auch der vielfältigen Rhythmen des Tages und des Jahres, in die die Pflanze eingegliedert ist.

Auf allen Gebieten der Medizin stehen wir vor der Notwendigkeit, den Blick zu erheben von der Betrachtung isolierter Faktoren – ihn zu wenden auf das Erfassen der Zusammenhänge, in denen die Einzeltatsache über sich hinausweist.

Diese Blickwendung in der Medizin hat schon stattgefunden, als mit dem Ablauf des ersten Viertels unseres Jahrhunderts das Buch «Grundlegendes für eine Erweiterung der Heilkunst nach geisteswissenschaftlichen Erkenntnissen» von Rudolf Steiner und Ita Wegman erschien. Das ist aber noch wenig bemerkt worden. Wird die neue Wendung in der Medizin einmal maßgebend werden und gegenüber den heute wie damals widerstrebenden Mächten durchdringen, so wird sie einen ebenso großen Entwicklungsfortschritt bringen, wie ihn der Umschwung in der Medizin am Beginn der Neuzeit gebracht hat.

Zeitgestalten der Krankheit

Es war ein bedeutsamer Einschlag in der Geschichte der Medizin, als im 18. Jahrhundert das Werk von Morgagni «Über den Sitz und die Ursachen der Krankheiten»[1] erschien. Aus dem umfassenden, aber damals schon verschwimmenden Ineinanderfließen humoralpathologischer Anschauungen (auf die Körperflüssigkeiten begründete Krankheitslehre) hoben sich jetzt die Konturen der einzelnen Organe heraus, die gezielt untersucht und behandelt werden konnten. Die immer exakter erforschte Gestalt der Organe führte zu neuen Erkenntnissen über ihre Funktion. Auch die Krankheiten wurden anatomisch begründet und nach Organen und Körperregionen unterschieden.

Man war gewissermaßen auf das feste Land gekommen und hatte damit Boden unter den Füßen. Festigkeit und Sicherheit waren das Resultat, aber auch eine gewisse Starrheit und Begrenztheit, die in einer gesicherten und feststehenden Welt noch wenig auffielen. In der ständig auf allen Gebieten sich verändernden Welt des 20. Jahrhunderts kann aber auch die Medizin nicht statisch bleiben. Die Zeit – als das Gebiet, in dem sich Veränderung und Entwicklung vollziehen – muß in die Betrachtung einbezogen und in ihrem Verlauf erforscht werden. Man beginnt so, in neuer Weise sich hinauszuwagen auf das offene Meer unaufhörlicher Verwandlungen. Dabei darf die einmal gewonnene Sicherheit und das Streben nach Erkenntnis der jeweils gültigen Gesetzmäßigkeit nicht verlorengehen. Auch die Zeit hat ihre Gesetze, auch die Zeit hat ihre Gestalt.

Von den vielen verschiedenen Krankheiten zeigt jede eine charakteristische Zeitgestalt durch ihren spezifischen Verlauf, der je nach dem befallenen Menschen wiederum abgewandelt wird. Aus der Fülle der so entstehenden Krankheitsformen lassen sich drei Grundtypen der Zeitgestalt herausschälen, die eine gewisse Gliederung in die zunächst unüberschaubare Vielheit bringen. Man kann sie bezeichnen als den «geschlossenen», den «fluktuierenden» und den «linearen» Krankheitsverlauf.[2]

Die geschlossene Zeitgestalt

Betrachten wir zunächst den «geschlossenen» Verlauf, wie wir ihn bei den fieberhaften zyklischen Infektionskrankheiten finden.[3] Das beste Beispiel dafür liefern die Kinderkrankheiten. Sie tragen ihren Namen mit Recht, denn sie gehören ihrem Wesen nach in die erste Lebenszeit. Selbstverständlich gibt es Verschiebungen, so daß sie auch in späterem Lebensalter auftreten können. Meistens liegt dann ein gewisser Nachholbedarf vor.

Die Kinderkrankheiten durchlaufen in gesetzmäßiger Weise eine gewisse Abfolge von Stadien und bilden dadurch eine geschlossene Zeitgestalt. Sie haben etwas von dem Werden und Vergehen und dem zeitlich in sich geschlossenen Ablauf eines lebendigen Organismus, der sich stufenweise zu einem Höhepunkt entwickelt, um dann wieder aus der Erscheinung zu verschwinden. Mit Beachtung des Zeitverlaufs steigen wir in Gesetzmäßig-

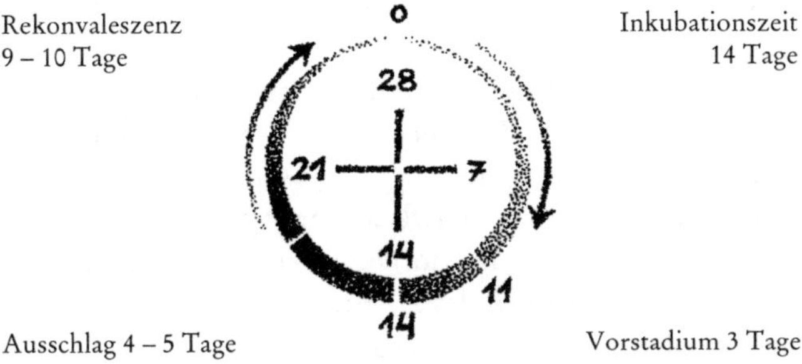

Abbildung 1: Zum geschlossenen Krankheitsverlauf

keiten ein, die für den Bereich des Lebendigen gelten. Wie die Pflanze aus dem Samen Blatt und Blüte hervortreibt, in der Frucht wieder den Samen bildet und damit den Kreislauf schließt, so durchläuft auch eine solche Kinderkrankheit verschiedene Stadien, um am Schluß, nach einer recht genau bestimmbaren Zeit, wieder den Ausgangspunkt, die Gesundheit, zu erreichen.

Machen wir uns einen solchen «berechenbaren» Verlauf einmal am Beispiel der Masern klar (siehe Abbildung 1). Die Krankheit beginnt nach der Ansteckung mit einer 11 Tage dauernden Inkubationszeit (Ausbrütungszeit). Sie ist dann noch unsichtbar wie das Samenkorn im Boden, aber ihr Verlauf hat doch schon begonnen. Das zeigt sich darin, daß an einem bestimmten Tag der Inkubationszeit entnommenes Masernblut, das auf einen anderen Menschen übertragen wird, bei diesem bereits nach entsprechend abgekürzter Zeit zum Ausbruch der Masern führt.

Die Krankheit fängt mit einem uncharakteristischen katarrhalischen Vorstadium an, bis sie 14 Tage nach der Ansteckung in dem rotfleckigen Hautausschlag zu ihrer charakteristischen Erscheinung erblüht. Nach 4–5 Tagen beginnt die Abschuppung, mit der die 9–10 Tage währende Rekonvaleszenz eingeleitet wird.

Die Frucht der Kinderkrankheit besteht nun nicht nur darin, daß das Kind immun geworden ist, d. h. gefeit gegen eine nochmalige Erkrankung gleicher Art, sondern vor allem in einer durchgreifenden Wandlung seines ganzen Wesens und Verhaltens. Fortschritte auf den verschiedensten Gebieten, ja ganz neue Fähigkeiten können plötzlich zum Vorschein kommen.

Wie aus der Abbildung hervorgeht, liegt dem zeitlichen Ablauf der Masernkrankheit die Zahl 7 in verborgener Weise zugrunde, die auch in der Entwicklung der Lebewesen und in anderen zeitlichen Rhythmen eine Rolle spielt. So braucht ein Hühnerei 21 Tage, um ausgebrütetet zu werden. Die Stadien der Hausbiene sind: 3 Tage Ei, 6 Tage Made, 12 Tage Verpuppung. Nach 21 Tagen entpuppt sich das Insekt.

Es ist deutlich, daß die Behandlung eines solchen organischen Verlaufes, wie ihn die Kinderkrankheit zeigt, nicht darin bestehen kann, ihn abzuschneiden oder zu zerstören. Behandlung und Pflege müssen vielmehr Krankheiten dieser Art so begleiten, daß sie sich ohne Risiko ausleben können.

Die fluktuierende Zeitgestalt

Ein ganz anderer Krankheitstyp hat das Maximum seines Auftretens bei jungen Menschen im 2. und 3. Lebensjahrzehnt, kommt aber in allen Lebensaltern vor. Da ist nicht mehr von Ordnung, Gesetzmäßigkeit und Berechenbarkeit die Rede, sondern alles wird schwankend, wechselnd, unberechenbar. Es handelt sich um den «flukturierenden» Krankheitsverlauf (siehe Abbildung

Abbildung 2: Zum fluktuierenden Krankheitsverlauf

2), bei dem es zu einem ständigen Wechsel der Krankheitserscheinungen oder zu einem Wechsel zwischen Krankheit und Gesundheit kommt. Beschwerden der verschiedensten Art treten auf, verschwinden wieder, um wenig später in gleicher oder in abgewandelter Form erneut zu erscheinen. Die Krankheitserscheinungen sind im allgemeinen leicht, können aber Lebensqualität und Leistungsfähigkeit stark beeinträchtigen. Sie treten nicht nur in zeitlichem Wechsel auf, sondern auch ihre Intensität und ihr Charakter schwanken. Bald fehlt es hier, bald fehlt es da. Die Patienten fühlen sich häufig nicht eigentlich krank, aber doch erst recht nicht gesund. Sie sind unpäßlich und indisponiert.

Die Beschwerden können jede Körperregion betreffen und sich z. B. als Kopfschmerzen, Herzschmerzen, Bauchschmerzen oder Kreuzschmerzen äußern. Sie können aber auch als Benommenheit, Schwäche, Herzklopfen, Brechreiz, kalte Füße, «abgestorbene Finger» usw. auftreten. Es ist nicht möglich, die ganze Fülle der Symptome und Beschwerden aufzuzählen.

Auch die Namen für die Krankheiten dieses Typus wechseln. Früher sprach man von nervösen Leiden, dann von funktionellen Erkrankungen, heute nennt man es vegetative Dystonie. Häufig findet man keine organische

Grundlage, was nicht heißt, daß es sich nicht um reale Krankheitserscheinungen handelt. Auch manche psychosomatische Erkrankungen und viele chronische Krankheiten zeigen einen solchen zwischen Gesundheit und Krankheit schwankenden Verlauf.

In der ständigen Auseinandersetzung mit diesem Krankheitstyp ist der Patient innerlich stark beteiligt und kann die ärztliche Behandlung durch eigene Aktivität unterstützen. Verhalten und Lebensweise, vor allem aber künstlerische Therapie und Heileurythmie haben hier eine besonders wichtige Aufgabe.

Auch die Anfallskrankheiten gehören ihrer Zeitgestalt nach zu diesem zweiten Krankheitstyp, weil sie zwischen Anfall und anfallsfreiem Intervall wechseln. Selbst so schwere Krankheitsformen wie Asthma, Migräne, Epilepsie, Koliken verschiedener Art usw. kann man aus diesem Grunde dazu rechnen, wenn sie auch im übrigen einen ganz anderen Charakter haben.

Die lineare Zeitgestalt

In höherem Lebensalter wird ein dritter Krankheitstyp immer häufiger: nicht mehr ein berechenbarer, in sich geschlossener Verlauf wie bei den zyklischen Fieberkrankheiten, nicht mehr ein Hin- und Herschwanken wie bei dem fluktuierenden Krankheitsverlauf, sondern ein ausgerichteter, «linear» fortschreitender Prozeß (siehe Abbildung 3), der zwar einem bestimmten Endpunkt (Heilung, Vernarbung, Zerstörung) zustrebt, über dessen Dauer sich aber wenig Bestimmtes sagen läßt. Noch etwas ist charakteristisch für diesen Krankheitstyp: Er neigt dazu, sich auf ein bestimmtes Organ zu konzentrieren.

Abbildung 3: Zum linearen Krankheitsverlauf

Aber selbst in dem relativ begrenzten Bezirk des einzelnen Organs kann der lineare Verlauf beobachtet werden, wenn etwa die im Oberlappen der Lunge beginnende Tuberkulose ihre Ausbreitung immer weiter in Richtung auf die Lungenbasis fortsetzt (progressive Organkrankheit). Gerade bei diesen Krankheiten hat die ärztliche Behandlung entscheidenden Einfluß auf den Verlauf.

Mit zunehmendem Alter streben die Krankheiten und Krankheitszustände einem Endzustand zu, bei dem das Krankheitsprodukt weitgehend aus den Organisationsprozessen entlassen wird; es kommt zu Narben, Verkalkungen, Steinbildungen, Ablagerungen der verschiedensten Art. In die Reihe dieser Ablagerungen gehören das Cholesterin und der Kalk, die sich in den Wänden der Schlagadern anreichern, die Steinbildung in Niere und Galle, die Starbildung im Auge usw. Es gehören auch hierher: die Neigung zur Fettbildung im höheren Lebensalter, der Zucker, der dem Diabetiker entfällt und im Blut sowie in den Geweben sich anreichert, die Harnsäurekristalle, die sich beim Gichtiker finden, die Verdichtungen, die sich als Thrombosen, Embolien, Infarkte dem strömenden Blut entgegenstellen usw.

Immer mehr wird der alternde Organismus von solchen Ablagerungen durchsetzt, bis dann schließlich einmal der Körper als Ganzes im Tode zur Ablagerung wird und die Individualität sich zu einer neuen Daseinsstufe zu erheben vermag.

Man kann die drei grundlegenden Zeitgestalten der Krankheit noch von einer anderen Seite her charakterisieren. Man kann sagen: Bei den Fieberkrankheiten wird der ganze Mensch erfaßt und einheitlich durchglüht von der Wärme. Das Umfassende dieses Krankheitstyps zeigt sich auch darin, daß er durch Ansteckung den Einzelmenschen überschreiten und sich epidemisch ausbreiten kann. Noch vor wenigen Jahrhunderten zogen die großen Epidemien über Europa hin: Pest, Blattern, Typhus, Cholera. – Bei den wechselhaften Erkrankungen gleitet der Krankheitsprozeß gewissermaßen über den Menschen hin, zeitlich nacheinander bald diese, bald jene Region berührend. – Beim dritten Krankheitstyp sehen wir die Tendenz zur isolierten Organkrankheit. In dieser Reihenfolge bewegen sich die Krankheiten immer mehr vom Zentrum des Menschen weg zur Peripherie, vom Ganzen zu den Teilen. Sie lösen sich immer mehr vom Menschen ab.

Zusammenfassung und Ausblick auf die Krebskrankheit

Jede Krankheit hat ihre charakteristische Zeitgestalt. Aber die skizzierten drei Haupttypen können richtungsweisend wirken in der Fülle der Erscheinungen. Gewiß kommt es zu allen möglichen Abwandlungen, Verschiebungen, Durchdringungen und Kombinationen. Wenn etwa eine an und für sich die erste Zeitgestalt repräsentierende Fieberkrankheit anfallsweise mit freiem Intervall verläuft wie die Malaria, so übernimmt sie damit etwas von der Zeitgestalt des zweiten Krankheitstypus. Wenn sich das Geschehen einer solchen fieberhaften Krankheit im wesentlichen auf ein Organ beschränkt, wie bei der Lungenentzündung, so spricht sich etwas vom Wesen des dritten Krankheitstypus darin aus. In dieser oder jener Form lassen sich alle Krankheitserscheinungen nach den drei grundlegenden Zeitgestalten aufgliedern.

Nur eine Krankheit fällt aus den geschilderten Zusammenhängen ganz heraus – diejenige die die aktuellste der Gegenwart geworden ist: die Krebskrankheit. Sie zeigt zwar den linear fortschreitenden Verlauf, der dem dritten Krankheitstypus entspricht, aber sie strebt von sich aus keinem Endzustand zu, im Gegenteil, sie wuchert immer weiter und findet, wenn weiter nichts hinzukommt, erst durch den Tod des Trägers eine von außen gesetzte Grenze. Ja, sie wuchert in gewisser Weise sogar über den Tod hinaus. Das geht aus einem neueren Forschungsergebnis hervor: Aus dem Organismus entnommene Körperzellen können auf geeigneten Nährböden eine Weile weitergezüchtet werden, sterben aber nach bestimmter Zeit ab; nur die Krebszellen wuchern ohne jegliche zeitliche Begrenzung weiter.[4]

Während der Mensch bei den Fieberkrankheiten eine große organische Aktivität aufbringt, entsteht die Krebskrankheit als gegenmenschliche Fremdaktivität auf dem Boden herabgesetzter menschlicher Eigenaktivität. Gerade die «geschlossene Zeitgestalt» der Fieberkrankheit steht in größerem Gegensatz zu der «endlosen Zeitgestalt» der Krebskrankheit. Damit hängt es zusammen, daß die Krebskrankheit durch eine zusätzlich auftretende Fieberkrankheit (Erysipel) günstig beeinflußt werden kann. Krankheit und Heilung sind nicht nur Gegensätze, sondern sie haben auch eine verborgene Verwandtschaft. Deshalb kann das, was in einer Krankheit eine Einseitigkeit darstellt, auch als Heilfaktor wirken, wenn es auf die entgegengesetzte Einseitigkeit einer anderen Krankheit trifft.

Anmerkungen

1 Giovanni Battista Morgagni, De sedibus et causis morborum per anatomen indagatis, Venedig 1761.
2 W. Holtzapfel, Krankheitsepochen der Kindheit, Stuttgart 1984.
3 F. Höring, Klinische Infektionslehre, Berlin 1938.
4 V. Hofmann, Krebs: Ein Weg zur Unsterblichkeit? Schweizerische Ärztezeitung, 13. 3. 1985.

Wohin zielt der medizinische Fortschritt?

Die Medizin hat es mit dem Menschen zu tun. Die Anthroposophie, die vom Wesen des Menschen kündet, enthält gerade für den ärztlichen Beruf eine Fülle von Anregungen. So haben sich vom Beginn des geisteswissenschaftlichen Wirkens Rudolf Steiners an auch Ärzte um Rat an ihn gewendet. Rudolf Steiner hat den Ärzten auf ihre Anfragen Auskunft gegeben, übernahm aber selber keine Behandlung.

1920 war die Nachfrage so groß geworden, daß Rudolf Steiner einen ersten Medizinerkurs von 20 Vorträgen hielt, dem bald weitere Kurse folgten. Und schließlich hat er noch ein Buch für den ärztlichen Beruf geschrieben, gemeinsam mit Dr. med. Ita Wegman. Dieses Buch ist erst nach seinem Tode unter dem Titel «Grundlegendes für eine Erweiterung der Heilkunst nach geisteswissenschaftlichen Erkenntnissen»[1] herausgekommen.

Diese in so reichem Maße gegebenen Anregungen sind fruchtbar aufgegangen in vielen Arztpraxen in Europa und Übersee und in zunehmendem Maße auch in Kliniken und Krankenhäusern.

Als Rudolf Steiner seine medizinischen Kurse hielt, war in der offiziellen Medizin noch der therapeutische Nihilismus tonangebend, den er selber als Student an seinem Ursprungsort Wien in seiner Hochblüte kennengelernt hatte.

Es standen nur wenige Heilmittel zur Verfügung, und von deren Wirkung war man nicht sehr überzeugt. Das Hauptinteresse der Ärzte galt einer exakten Diagnose und der Erforschung der Krankheitsursachen. So trafen die therapeutischen Anregungen Rudolf Steiners auf einen leergelassenen Raum, in dem sie sich segensreich entfaltet haben.

Heute ist die medizinische Gesamtsituation eine ganz andere. Die Ärzte verfügen über ein Arsenal stark wirksamer Medikamente, die unter Umständen auch lebensgefährliche Erkrankungen rasch beenden können. Akute Erkrankungen, Infektionen, Schmerzen, Unruhezustände etc. lassen sich beherrschen. In der Geschwulstbehandlung, bei den rheumatischen und Kreislauf-Erkrankungen, überhaupt bei den chronischen Krankheiten, sind die Erfolge allerdings geringer. Aber doch ist, im ganzen gesehen, eine Art «therapeutischer Optimismus» an die Stelle des «therapeutischen Nihilismus» getreten. Noch nie in ihrer langen Geschichte hat die Medizin in so kurzer Zeit so tiefgreifende Veränderungen erfahren; und noch nie vielleicht war das allgemeine Interesse an medizinischen Fragen so groß wie heute. Die öffentlichen Nachrichtenmittel – Presse, Radio und Fernsehen – sorgen dafür, daß Fortschritte in Diagnostik und Therapie überall bekannt gemacht werden.

Hat gegenüber diesem Triumph des medizinischen Fortschritts das stillere Geschehen der durch die anthroposophische Geisteswissenschaft erweiterten Medizin an Bedeutung verloren? Oder bildet es vielleicht eine gerade jetzt besonders notwendige Ergänzung zu dem vordergründigen Geschehen?

Bei näherer Betrachtung zeigen sich in dem fortschrittlichen Bilde der heutigen Medizin einige ganz unerwartete und widersprüchliche Züge. Man sollte doch annehmen, daß bei diesen Erfolgen die Zahl der Erkrankungsfälle abgenommen hätte. Das Gegenteil ist der Fall. Das lehren uns nicht nur die Statistiken, sondern auch jeder Blick in die Wartezimmer der Ärzte. Dafür gibt es verschiedene Ursachen. Eine derselben hängt gerade mit dem medizinischen Fortschritt zuammen: das sind die sogenannten Nebenwirkungen der modernen Arzneimittel. Der Einfluß des Mittels wirkt nicht nur dort, wo man ihn haben möchte, sondern auch noch auf ganz anderen, unerwünschten Gebieten. Blut-, Nerven- und besonders häufig Leber-Schäden werden beschrieben oder auch ein beeinträchtigtes allgemeines Lebensgefühl, das nach Beseitigung der Krankheitserscheinungen anhält. Die Nebenwirkungen sind so häufig geworden, daß die meisten Wissenschaftler der Ansicht sind, daß es ein wirksames Heilmittel ohne Nebenwirkungen gar nicht gäbe. Wenn das zuträfe, so wäre das sehr unbefriedigend. Sollte es denn wirklich nicht möglich sein, so genau zu zielen, daß die Wirkung des Heilmittels unter Kontrolle bleibt?

Die Nebenwirkungen treten unter Umständen erst nach Jahren und Jahrzehnten auf oder gar erst in der nächsten Generation. Sie sind auch deshalb schwer zu fassen. Wir bewegen uns in einem undurchschauten Gebiet, dessen Wirkung wir nicht vorhersehen können, sondern immer erst dann feststellen, wenn sie eingetreten sind. Das hängt mit der ganzen Art zusammen, mit der heute Heilmittel gefunden werden: durch Ausprobieren nämlich, durch viele verschiedene Versuche, wobei man doch nie ganz sicher sein kann, ob man nicht irgend einen noch unbekannten Wirkungsbereich ausgelassen hat, der sich dann später in unerwünschter

Weise meldet. Erhöht wird die Unsicherheit dadurch, daß es sich vor allem um Tierversuche handelt, deren Übertragung auf den Menschen problematisch bleibt.

Noch in keiner Zeit ist so viel zur Fundierung eines neuen Heilmittels verlangt und getan worden wie heute. Es sind manchmal tausende von Versuchen notwendig, ehe ein einziges Heilmittel herausgebracht werden kann. Und doch – oder vielmehr gerade deshalb – bleibt es bei der überraschenden Feststellung, daß die eigentliche Natur des Heilmittels und seine Wirkungsweise weitgehend unbekannt sind. Noch überraschender ist es, daß die beiden Bereiche, die durch das Heilmittel ineinander übergeführt werden – Krankheit und Gesundheit –, im Grunde genommen ebenso unbekannt sind. Es gibt keine klaren Vorstellungen über das eigentliche Wesen von Krankheit und Gesundheit.[2] Das erfolgreiche ärztliche Handeln von heute bewegt sich in Gebieten, die erkenntnismäßig noch kaum durchdrungen sind. Das gilt grundsätzlich und auch in speziellen Fällen. So ist es mit den heutigen Antikonvulsiva durchaus möglich, epileptische Anfälle zu verhindern. Dabei bestehen aber genaue Vorstellungen weder über die Wirkungsweise dieser Mittel noch über die Pathogenese des epileptischen Anfalls.[3]

Mit alledem sollen die außerordentlichen Erfolge der heutigen Medizin in keiner Weise bestritten werden. Man ist nur mit diesen Erfolgen so weit vorgestoßen, daß das begriffliche Verständnis nicht nachgekommen ist. Gerade die zentralen ärztlichen Motive – Krankheit, Gesundheit, Heilung – liegen im Dunkel. Dieses Dunkel aufzuhellen, ist die dringendste Forderung an die Medizin der Gegenwart. Neue Wege und Ziele des Fortschritts sind notwendig: Es müssen Erkenntnisfortschritte sein. Diese Forderung entspringt nicht einem theoretischen Bedürfnis, sondern der Notwendigkeit, die mit dem blinden Fortschritt verbundenen Gefahren zu vermeiden.

Neue Wege und Ziele werden dort am deutlichsten sichtbar, wo der bisherige Fortschritt am weitesten und konsequentesten vorangetrieben wurde. Dort stößt man an die Grenze, hinter der sich neue Bereiche auftun.

Vor allem der Chirurgie ist es gelungen, durch die verbesserte Operationstechnik im Verein mit den neuen Möglichkeiten der Narkose und dem Einsatz neuer Hilfsapparaturen immer weiter in bis dahin unzugängliche Bereiche des menschlichen Organismus vorzudringen. 1896 gelang die erste Operation am Herzen. 1967 war es dann soweit, daß Christian Barnard in Kapstadt ein menschliches Herz auf einen anderen Menschen übertragen konnte. Das war eine technische Großtat, die sensationell wirkte. Im folgenden Jahr wurden über 100 Herztransplantationen in aller Welt durchgeführt. Aber bereits 1969 ging diese Zahl zurück, um dann immer weiter abzusinken. Heute werden Herztransplantationen fast nur noch an einem Ort der Welt, an der Stanford-Universität in Kalifornien, laufend durchgeführt. 1975 unternahm dann Christian Barnard einen neuen Anlauf, indem er das Herz nicht mehr ersetzte, sondern ein zweites zusätzliches Herz einpflanzte. Aber auch davon hörte man nichts mehr.

Was war es, das zu einem solchen Rückgang der Herztransplantationen nach dem anfänglichen Enthusiasmus geführt hat? Ganz neuartige Erfahrungen und Probleme, mit denen man in keiner Weise gerechnet hatte. Es sind nicht die schwierigen moralischen, theologischen, juristischen und finanziellen Fragen gemeint, die mit der Herztransplantation verbunden sind, sondern Erfahrungen am Patienten selbst, die geeignet sind, ganz neue Ausblicke zu eröffnen.

Die erste Erfahrung war die, daß der lebendige Organismus nicht so reagiert wie ein lebloser Mechanismus, ein Motor z. B., bei dem ein schadhaftes Teil ausgewechselt wird. Dem Motor ist es sozusagen «gleichgültig», wenn ein Ersatzteil – sagen wir: ein neuer Vergaser – eingesetzt wird. Es ändert sich dadurch keiner der anderen Bestandteile. Eine Änderung, und zwar die erwünschte, tritt nur am Punkt des Ersatzes selbst ein. – Der Organismus aber folgt ganz anderen Gesetzen. Auf einen eingefügten fremdorganischen Bestandteil reagiert er dadurch, daß er ihn abzustoßen versucht.

Die Abstoßungsreaktion ist zwar die bekannteste, aber nicht die einzige Komplikation. Sehr lehrreich ist die Erfahrung, daß das gesunde eingepflanzte Organ nicht selten von der gleichen krankhaften Veränderung befallen wird, derentwegen man das kranke Organ entfernt hat. Lehrt das nicht mit aller Deutlichkeit, daß das kranke Organ gar nicht die eigentliche Krankheit darstellt, sondern erst das Resultat der Krankheit? Die Krankheit selber bleibt sozusagen im Hintergrund verborgen und ergreift erst das eine und dann das nächste Organ. Der Austausch des Organs stellt keine Heilung dar, während beim Mechanismus das Auswechseln des defekten Teils wirklich und endgültig die Störung beseitigt.

Am alarmierendsten aber waren die Nachrichten über Persönlichkeitsveränderungen, die bis zu psychotischen Erscheinungen gehen, bei den Trägern transplantierter Herzen. Die Tochter des Zahnarztes Blaiberg, bei dem die erste erfolgreiche Herztransplantation durchgeführt worden war, berichtete nach seinem Tode in einem Interview, daß mit der Transplantation eine völlige Veränderung seiner Persönlichkeit (complete personality change) eingetreten sei. Andere Beobachter sprechen von einem «Defizit des eigenen Ich», das nach der Herzverpflanzung regelmäßig gefunden wird.

In diesen neuartigen Erfahrungen, die sich bei der Herzverpflanzung ergeben haben, stößt die Medizin auf verborgene Seiten der Menschennatur. In dreifach verschiedener Weise äußern sie sich: als «Abstoßungsreaktion», als «Wiederauftreten der krankhaften Organveränderung», als «Defizit des eigenen Ich». Von diesen verborgenen Seiten der Menschennatur spricht die Anthroposophie. Die Begriffe, die Rudolf Steiner aus direkter geistiger Erfahrung geprägt hat, werden von den heute vorliegenden Tatsachen immer deutlicher gefordert, wenn diese erkenntnismäßig durchdrungen werden sollten.

In der Abstoßungsreaktion äußert sich eine Kräfteorganisation, die das ganzheitliche Verhalten des lebendigen Organismus bewirkt. Es kommt zu einer Wechselwirkung aller Teile. Alles hängt mit allem zusammen. Tritt an einer Stelle eine Veränderung ein, so reagieren alle anderen Stellen mit. In der anthroposophischen Geisteswissenschaft wird dieser Kräftezusammenhang, welcher für die Lebenserscheinungen verantwortlich ist, als «Ätherleib» bezeichnet.

Eine weitere übersinnliche Kräfteorganisation steht dahinter, wenn die gleiche krankhafte Veränderung nicht nur das eigene, sondern dann auch das eingepflanzte Herz ergreift. Sie wird in der Anthroposophie «Astralleib» genannt und ist unserem Bewußtsein auch in innerer Beobachtung zugänglich in den seelischen Erlebnissen, in Sympathie und Antipathie, in den Trieben,

Begierden, Wünschen, Emotionen. Die enge Beziehung des Seelenlebens zur Krankheitsentstehung ist bekannt und hat zur Begründung der psychosomatischen Medizin geführt.

Durch die Persönlichkeitsveränderung schließlich wird offenbar, daß die Herztransplantation auch das eigentliche geistige Wesen des Menschen tangiert. Das «Ich» des Menschen, sein geistiger Wesenskern, ist die zentrale Instanz, welche das Bewußtsein zum Selbstbewußtsein steigert und das Einmalige, Unverwechselbare und Eigenständige der Individualität ausmacht.

Damit sind der allein der sinnlichen Erfahrung zugänglichen physischen Kräfteorganiation weitere übersinnliche Bereiche hinzugefügt. Die bei der Herztransplantation auftretenden Phänomene können darauf aufmerksam machen, daß die volle Wirklichkeit des Menschen durch eine Betrachtung nach Leib, Ätherleib, Astralleib (Seele) und Ich (Geist) gefunden wird. Erst die Gesamtheit dieser vier «Wesensglieder» ergibt eine Menschenkunde, die geeignet ist, in unerhellt gebliebene Bereiche der Medizin hineinzuleuchten.

Man muß sich die charakterisierten Wesensglieder nicht als schematisch getrennte Schichten vorstellen. In lebendig sich durchdringendem Miteinander und Gegeneinander bringen sie das in Aufbau und Abbau sich bewegende Geschehen des Organismus zustande. Dabei ist die positive Bewertung auch der Abbauprozesse ein charakteristischer Zug der anthroposophischen Menschenkunde. Nur auf Grundlage des Abbaus kann sich das Bewußtsein entfalten. Es muß ihm in der Leiblichkeit gewissermaßen Platz gemacht werden. Das Gehirn als Organ des Wachbewußtseins ist den Abbauvorgängen besonders ausgesetzt. Nach Schädigungen hat es nicht nur keinerlei Regenerationsmöglichkeit mehr für seine Nervenzellen, sondern es gehen auch täglich Tausende dieser Nervenzellen spontan zugrunde. Dieser ständige Zerstörungsprozeß ist zwar für das Zustandekommen des Bewußtseins notwendig, stellt aber doch eine Art begrenzten Krankheitsvorganges dar. Die Krankheit gehört zum Menschen; sie ist nicht etwas, was ihn nur von außen befällt, sondern ein immer in ihm Vorhandenes. Der Mensch braucht ein gewisses Maß von Krankheit, um im menschlichen Sinne gesund sein zu können.

Damit stehen wir vor einem wesentlichen Ausgangspunkt des Krankheitsgeschehens überhaupt. Greifen die Abbauvorgänge über ihr Gebiet hinaus, dann entsteht eigentliche Krankheit. Es kann ein Substanzverlust z. B. in der Magenwand entstehen: ein Magengeschwür, das mit Schmerzen verbunden ist. Schmerz ist ein Bewußtseinsvorgang. Eine Körperregion wird uns schmerzhaft bewußt, deren Vorgänge gesunderweise unbewußt ablaufen. Der Zusammenhang von Abbau und Bewußtsein tritt in einem solchen Fall in krankhafter Weise in Erscheinung.

Das ist das Risiko des Menschseins, daß es auf Bewußtsein und Selbstbewußtsein gegründet ist und daß diese ihre Grenzen überschreiten können. Darum ist der Mensch das kränkste Wesen der Schöpfung. Tiere oder gar Pflanzen erkranken weit weniger leicht. Darin liegt aber auch wieder die Chance der Krankheit, daß die zunächst in krankhafter Weise gegebene Intensivierung des Bewußtseins sich in der Gesundung zu einer neuen Bewußtseinsstufe und damit zu einem Entwicklungsfortschritt wandeln kann.

Ist die Krankheit ein ständig im Menschen Vorhandenes, so muß es auch die Heilung sein, wenn der Mensch gesund bleiben soll. Im Wechselspiel kränkender und heilender Kräfte entsteht immer neu die Gesundheit als ein ständig sich verschiebendes Gleichgewicht. Gesundheit ist für jeden Menschen, für jedes Lebensalter, für jeden Tag und jede Stunde anders.

Schon die Tatsache, daß wir mit vielen kleineren Krankheitszuständen und Verletzungen ohne besondere Behandlung fertig werden, weist darauf hin, daß wir Selbstheilungskräfte besitzen. Eine unkomplizierte, nicht zu große Wunde heilt von selbst; die Wundränder wachsen wieder zusammen. Diese heilende Wachstums- und Wiederherstellungs-Kraft (Regeneration) ist im niederen Tierreich viel stärker als beim Menschen. Eine Eidechse z. B. kann ihren Schwanz oder eine Gliedmaße nach Verlust ergänzen. Je dumpfer das Bewußtsein in der Tierreihe, desto größer die Regenerationskraft. Bei den Pflanzen schließlich kann man überhaupt nicht mehr von Bewußtsein sprechen, dafür ist die Regenerationsfähigkeit nahezu unbegrenzt. Dadurch ist die Pflanze besonders geeignet, im Heilmittel die nur schwachen Selbstheilungskräfte des Menschen zu verstärken.

Aber welches Heilmittel paßt zu welcher Krankheit? Wir kommen damit wieder auf die Frage der Heilmittelfindung, auf die wir eingangs schon gestoßen waren, als es um die Nebenwirkungen ging. Außer dem dort erwähnten experimentellen Weg der Heilmittelfindung ist heute auch der Weg der Tradition durchaus noch üblich. Man durchsucht alte Kräuterbücher und die bei Naturvölkern angewandten Methoden und findet auch auf diese Weise neue Heilmittel. Woher haben aber diejenigen ihr Wissen, die solche Kräuterbücher schreiben und solche Methoden anwenden? Zweifellos auch aus der Tradition. Das Wissen wurde von Generation zu Generation weitergereicht. Einmal aber muß am Ausgangspunkt eine Erkenntnis bestanden haben, welche die weit zurückreichende Tradition begründet hat. Es muß eine Urweisheit gegeben haben, die den Zusammenhang von Mensch und Natur umspannte. Den Zusammenhang zwischen der Krankheit im Menschen und dem aus der Natur entnommenen Heilmittel aus der modernen Bewußtseinsverfassung neu zu begründen, ist das Anliegen der durch die Geisteswissenschaft Rudolf Steiners erweiterten Heilkunst. Einen ersten Hinweis auf einen derartigen Zusammenhang geben die heutigen Entwicklungstheorien. Sie gehen alle von der Idee aus, daß sich die Lebewesen am Anfang der Evolution aus einem gemeinsamen Ursprung entwickelt haben. Rudolf Steiner präzisiert diese Idee dahin, daß der Mensch die Wesen und Vorgänge der ihn umgebenden Natur stufenweise aus sich herausgesetzt hat. Jeweils entstanden gleichzeitig ein Organbereich im Menschen und ein ihm entsprechender Naturvorgang. Menschlicher Bereich und Naturprozeß trennten sich, behielten aber doch eine innere Verwandtschaft. Gelingt es, den verwandten Vorgang zu erfassen, so paßt das auf diese Weise gefundene Heilmittel zur Krankheit wie der Schlüssel zum Schloß. Damit wird die ungezielte Streuung der Medikamentenwirkung im Organismus vermieden, welche heutzutage als Nebenwirkung für unvermeidlich gehalten wird.

Mit dem innerlich verwandten Heilmittel wird dem Menschen etwas zugeführt, was einmal zu ihm gehört hatte. Die Trennung von Mensch und Naturvorgang wird aufgehoben und der Mensch damit gewissermaßen an den Anfang der Schöpfung zurückversetzt. Diese Rückkehr zu anfänglichen Verhältnissen liegt aber schon in der Krankheit selber. Viele Krankheitssymptome bestehen in einem Rückläufigwerden der Entwicklung. Man denke nur an die Entdifferenzierung der Krebszelle und das Wiederauftreten des Wachstums bei Tumoren, an das Auftreten von Jugendformen der Blutkörperchen bei Blutkrankheiten etc. etc. Schon die Situation eines akut erkrankten Patienten, der sich aus verantwortlicher Tätigkeit plötzlich wieder in die Horizontale und in die Pflegebedürftigkeit der ersten Kindheit zurückversetzt sieht, gehört hierher.

«Fang noch einmal an!» so könnte man den Appell formulieren, den Krankheit und Heilung an den Menschen richten, «geh zurück an den Ursprung und gewinne dadurch die Kraft, mit einem Entwicklungshindernis fertig zu werden, das du anders nicht überwinden könntest».

Die Heilung, die sich auf eine vollständige Menschenkunde stützt, wird nicht nur darauf ausgehen, die körperlich feststellbaren Veränderungen zu beseitigen und die Laborwerte zu normalisieren, sie wird sich auch nicht damit begnügen, den Menschen sozial brauchbar zu machen und ihn wieder in den Arbeitsprozeß einzugliedern. Sie wird vor allem die Wandlung der Persönlichkeit beachten, die zu einem Bewußtseinsfortschritt führt.

Bei einer solchen Heilung ist der ganze Mensch nach Leib, Ätherleib, Seele und Geist beteiligt. Die Begriffe dieser vier Wesensglieder, welche in ihrer Gesamtheit erst die volle Wirklichkeit des Menschen ausmachen, gilt es zu erarbeiten. Dahin zielt der heute notwendige Fortschritt in der Medizin.

Anmerkungen

1 R. Steiner/I. Wegman: Grundlegendes für eine Erweiterung der Heilkunst nach geisteswissenschaftlichen Erkenntnissen (1925), Dornach 1991 (GA 27).
2 H. Schäfer, Die Medizin in unserer Zeit, München 1963.
3 A. Matthes, Epilepsie-Fibel, Stuttgart 1969.

«Die Medizin muß noch ganz anders werden»: Novalis und die neue Medizin

Über die Themen der Medizin, über Krankheit, Gesundheit, Heilung und Tod aus eigenem Erleben etwas auszusagen, waren wenige so berufen wie Novalis.

Krankheit und Tod haben in seinem Leben und in dem der mit ihm verbundenen Menschen eine außergewöhnliche Rolle gespielt und immer wieder zu entscheidenden Wendungen geführt. Nicht nur er selber, sondern auch seine zehn Geschwister sind früh gestorben. Nur ein einziges dieser Kinder überlebte seine Mutter.

Aber die Todesnähe schuf die Durchlässigkeit seiner leiblichen Organisation, die eine so leuchtende Geisteskraft ermöglichte, und bildete die Voraussetzung für solche Erfahrungen und Erkenntnisse, wie sie gerade diese Individualität in die Menschheit bringen konnte.

Daher auch das, was er selber den «Enthusiasmus für Krankheiten und Schmerzen» nannte. – «Man sollte stolz auf seinen Schmerz sein. Jeder Schmerz ist eine Erinnerung unseres hohen Ranges», sagt er in einem seiner Fragmente. «Der Tod ist das romantisierende Prinzip unseres Lebens. Der Tod ist – das Leben. – Durch den Tod wird das Leben verstärkt», heißt ein weiteres.

Was ist hier mit «Romantisieren» gemeint? Man darf es in keiner Weise mit dem in Verbindung bringen, was sich trivialerweise in der Umgangssprache, aber auch in der Literaturwissenschaft, als der Begriff «romantisch» eingebürgert hat.

«Indem ich dem Gemeinen einen hohen Sinn, dem Gewöhnlichen ein geheimnisvolles Ansehen, dem Bekannten die Würde des Unbekannten, dem Endlichen einen unendlichen Schein gebe, so romantisiere ich es.» – «Die Welt muß romantisiert werden, so findet man den ursprünglichen Sinn wieder.» Der «ursprüngliche Sinn» der Welt, den das hier «Romantisieren» genannte Prinzip wiederfinden kann, das ist der Bereich, in dem der Ursprung der Welterscheinungen liegt, die verborgene Welt hinter der offenbaren. In diesen Bereich vorzudringen, wurde Novalis ermöglicht durch seine Verbindung mit den Kräften des Todes, die aus der körperlichen Welt in die Welt der lebendigen Kräfte hinüberführen. «Der Tod ist – das Leben. – Durch den Tod wird das Leben verstärkt.»

In der Biographie seines Freundes Ludwig Tieck heißt es: «Friedrich von Hardenberg war in seinen ersten Kinderjahren sehr schwächlich... Er war träumerisch und still und verriet nur wenig Geist. Im neunten Jahr überfiel ihn eine gefährliche Ruhr... Nun schien sein Geist wie aus einem Schlafe zu erwachen, und er zeigte sich plötzlich als ein munteres, tätiges und geistreiches Kind.» Innerhalb eines Jahres hatte er seine Geschwister überflügelt, während er vorher nicht nur hinter der älteren Schwester, sondern auch hinter dem jüngeren Bruder zurückgeblieben war. Der Hauslehrer fühlte sich ihm nicht mehr gewachsen. Es wurde beschlossen, ihn auf eine auswärtige Schule zu geben.

Ja genialer ein Mensch ist, desto urbildlicher ist sein Lebenslauf. Es wird etwas sichtbar, was bei weniger ausgeprägten Individualitäten auch vorhanden ist, aber nicht so deutlich hervortritt. Was ist mit diesem neunten Lebensjahr? Von einem Erwachen ist die Rede, das deutet auf das Ich. Eine Krise im siebenten Lebensjahr würde ganz etwas anderes aussagen. Es war ein Ich-Punkt, an dem der Geist des Novalis erwachte, und zwar gleich mit der charakteristischen Lebendigkeit, Schnelligkeit, Vielseitigkeit und Leichtigkeit, mit der er alles ergriff.

Das *Ich-Bewußtsein,* das vollgültig erst dann erwacht, wenn der Mensch mündig wird, also mit etwa 21 Jahren, macht schon vorher verschiedene Stufen durch. Deutlich ist die erste mit 2 bis 3 Jahren dadurch markiert, daß das Kind anfängt, zu sich «ich» zu sagen. In willenhafter Form tritt diese erste Offenbarung des Ich-Bewußtseins auf. «Ich will», «ich will nicht» werden zu viel gebrauchten Aussprüchen.

Von diesem ersten Aufleuchten des Ich-Bewußtseins, das z. B. Jean Paul in seiner Autobiographie so eindrucksvoll beschreibt, hören wir bei Novalis nichts. Desto deutlicher tritt die zweite Stufe hervor mit neun Jahren, die man auch den «poetischen Ich-Punkt» nennen könnte. Nicht im Willen, nicht im Kraftüberschwang erlebt sich jetzt das Ich, sondern im Fühlen, und zwar zunächst im Gefühl der Verlassenheit, der Einsamkeit, ja der Angst. Die neu erwachende Innerlichkeit ermöglicht auch ein verinnerlichtes Gewahrwerden der Umwelt, das sich manchmal in diesem Lebensalter in ersten, kleinen Gedichten, in einer Art Naturlyrik, offenbart.

Über etwas Derartiges erfahren wir aus der Biographie von Novalis nichts, obgleich wir es vielleicht bei einem künftigen Dichter erwartet hätten. Aber im übrigen ist es charakteristisch, daß gerade dieser Ich-Punkt in seiner Entwicklung so deutlich hervortritt und durch die Krankheit noch besonders betont wird. «Krankheit gehört zur Individualisierung», dieses Wort des Novalis trifft besonders auf seine eigene Krankheit im neunten Lebensjahr und auf das damit zusammenhängende Erwachen seines Geistes zu.

Ein zweites Mal führte eine Krankheit zu den weitreichendsten Konsequenzen für Novalis. Es war nicht eine eigene Erkrankung, sondern die seiner Braut Sophie von Kühn. Bei dem Tode des fünfzehnjährigen Mädchens faßte er den Entschluß, ihr nachzusterben. Es ist gesagt worden, daß er diesem Vorsatz nicht treu geblieben sei, weil er dann später noch sehr reale, auch berufliche Lebenspläne hatte und sich auch wieder verlobt hat. – Aber es war unter dem erschütternden Eindruck dieses Todes eine Erweckung geschehen, sein Bewußtsein hatte sich dem Bereich des Todes, der Nacht eröffnet. Er hatte als Lebender die Todesschwelle überschritten, und vieles von dem, was er dann an Erkenntnissen niederschrieb, stammt von jenseits der Schwelle. Sein ganzes, eigentliches Werk ist in den drei Jahren zwischen dem Tode Sophie von Kühns und seinem eigenen Tode entstanden.

«Liebe ist durchaus Krankheit (daher die wunderbare Bedeutung des Christentums)», oder umgekehrt, «Jede Krankheit ist vielleicht ein notwendiger Anfang der inneren Verbindung zweier Wesen – der notwendige Anfang der Liebe». Solche rätselhaften Worte mögen unter dem Einfluß des Erlebens von Krankheit und Tod der Sophie von Kühn entstanden sein. Sie deuten darauf, daß mit der Krankheit ein Neues sich mit dem Menschen verbindet, daß eine Vereinigung zustande kommt, die neue Erlebnisbereiche aufschließt. Aus welchem Bereich dieses Neue stammt, wird im folgenden noch deutlicher werden.

Das dritte und letzte, entscheidende Krankheitserlebnis war dann seine eigene Todeskrankheit. Die Tagebuchaufzeichnungen aus der letzten Lebenszeit lassen uns erleben, daß es sich um ein Ringen und ein schweres Leiden handelte. Immer wieder wollen Ängstlichkeit und Schwäche ihn übermannen, aber er ringt auch diesen Zuständen ihre Resultate ab.

«Alle Ängstlichkeit kommt vom Teufel. Der Mut und die Freudigkeit ist von Gott.»

«Unglück ist der Beruf zu Gott. Heilig kann man nur durch Unglück werden, daher sich auch die alten Heiligen selbst in Unglück stürzten.»

«Gott weiß die Zeit der Krankheit, denn jegliche Krankheit hat ihre Zeit.»

«Durch Gebet erlangt man alles. Gebet ist eine universale Arznei.»

In solchen Sätzen aus der letzten Lebenszeit deutet sich etwas von der neuen Erlebnismöglichkeit, die durch Krankheit und Leiden in den Menschen hereinwirkt.

In den etwa 4000 Fragmenten, in denen Novalis seine Gedanken über fast alle Gebiete des Lebens, der Wissenschaft, der Kunst, der Religion niedergeschrieben hat, finden sich auch immer wieder solche, die die Medizin betreffen. Weniges davon ist zeitgebunden, wie etwa die Auseinandersetzungen mit dem damals herrschenden medizinischen System des Schotten John Brown.

Aber weitaus das meiste ist ein Zukünftiges. Es ist begeisternd zu sehen, wie bei Novalis immer wieder Erkenntnisse aufblitzen, die eigentlich erst in der Erweiterung der Medizin durch die Geisteswissenschaft Rudolf Steiners ihre Erfüllung finden.

Man kann sich fragen, ob es denn sinnvoll ist, sich heute, wo wir eben in einem gewissen Sinne die Erfüllung haben, noch mit diesen Keimen bei Novalis zu beschäftigen. Da muß man sagen, daß es gerade das Keimhaft-Lebendige ist, das bei dem, der sich damit beschäftigt, eigenes Leben zu entzünden vermag. Wie in der Chemie die Stoffe im Augenblick des Entstehens, in statu nascendi, eine besondere Aktivität entfalten, so ist es auch mit diesen, noch im Entstehen begriffenen, nicht ausgeführten Gedanken. Vieles tritt in einer Art Rätselform auf, die nicht gleich verständlich ist. Und wie das Bemühen um die Lösung eines Rätsels dem Rätsellöser nicht nur eine neue Erkenntnis schenkt, sondern ihn noch dazu selbst erfinderisch macht, so kann man Ähnliches beim Umgang mit den Novalis-Fragmenten erfahren.

Aber es handelt sich um Fragmente. Die Verbindungen zwischen diesen Bruchstücken müssen manchmal erst gesucht werden, damit sie verständlich werden können. Auch die notwendigen gedanklichen Voraussetzungen eines Fragmentes und die aus ihm sich ergebenden Konsequenzen muß man sich häufig erst klarmachen. Anfang und Ende müssen gefunden werden, damit sich das aussprechen kann, was als Wirklichkeit hinter den Fragmenten steht.

Die Erkenntnisse über das Wesen der Krankheit, die Novalis so intensiv eigenem Erleben abgerungen hat, gehen weit über das hinaus, was auch heute noch der offiziellen Medizin möglich ist. In dieser heutigen offiziellen Medizin wirkt immer noch ein Wort nach und wird als besonders fortschrittlich angesehen, obwohl es längst veraltet ist, das vor ungefähr 100 Jahren der Straßburger Kliniker Naunyn ausgesprochen hat:[1] «Die Medizin wird Naturwissenschaft sein oder sie wird nicht sein.» Das ist ein Ausspruch, der aus dem Geist der zweiten

Hälfte des neunzehnten Jahrhunderts verständlich ist; wenn er aber heute noch für maßgebend angesehen wird, verhindert er den Fortschritt. Von der Naturwissenschaft aus läßt sich nämlich kein Krankheitsbegriff bilden. Das wird auch von den Forschern, die sich um die theoretischen Grundlagen der Medizin bemühen, offen zugegeben. Rudolf Steiner hat darauf aufmerksam gemacht, daß Krankheit, naturwissenschaftlich gesehen, ein Ablauf von Naturprozessen ist, Gesundheit aber auch. Da besteht kein qualitativer Unterschied.

Nehmen wir dagegen das folgende Fragment von Novalis: «Krankheiten zeichnen den Menschen vor den Tieren und Pflanzen aus. Zum Leiden ist der Mensch geboren (je hilfloser, desto empfänglicher für Religion und Moral).» Damit ist sofort auf den «Ort» gedeutet, von dem aus Krankheiten zu verstehen sind, nämlich von dem Spezifisch-Menschlichen aus. Und es ist eine Tatsache, daß der Mensch das kränkste Wesen der Schöpfung ist.

«Vergänglichkeit, Gebrechlichkeit ist der Charakter der mit Geist verbundenen Natur. Er zeugt von der Tätigkeit und Universalität, von der erhabenen Personalität des Geistes.» Von «der mit Geist verbundenen Natur» ist die Rede. Hier stoßen wir auf das qualitativ andere, das bei der Krankheit in die Naturprozesse hereinwirkt. In dem Buche «Grundlegendes für eine Erweiterung der Heilkunst» von Rudolf Steiner und Ita Wegman wird das so ausgedrückt:[2] «In der Geist- und Seelenfähigkeit hat man also die Ursachen des Krankseins zu suchen.» Hierher gehört auch das folgende Fragment: «Die Seele ist unter allen Giften das stärkste. (Sie ist der durchdringendste, diffusibelste Reiz. Alle Seelenwirkungen sind daher bei Lokal-Übeln und entzündlichen Krankheiten höchst schädlich.)« Diese Bemerkung, daß die Seele das stärkste Gift, also ein intensives Krankmachendes und Krankheitsverstärkendes ist, führt weiter gedacht zu der Anschauung – die Novalis nicht expressis verbis ausgesprochen hat, die sich aber als Konsequenz seiner Aussprüche ergibt –, daß wir von einem ständigen notwendigen Krankheitsprozeß durchzogen sind, weil anders das Seelische nicht in uns anwesend sein kann.

Das geistig-seelische Leben des Menschen ist nur auf der körperlichen Grundlage des Abbaus möglich. «Wo im Menschen Geist wirken soll, da muß der Stoff sich von seiner Tätigkeit zurückziehen», heißt es in dem erwähnten Buche von Rudolf Steiner und Ita Wegman[3]. Eine Steigerung oder eine Verlagerung dieses notwendigen Krankheitsprozesses (Abbau) führt dann zur eigentlichen Krankheit. Und eine weitere Steigerung würde zum Tod führen. Das klingt bei Novalis so: «Krankheiten sind partielle Überwältigungen (Individualveränderungen). Der Tod ist Generalüberwältigung. Der Tod ist das Zentrum der Krankheiten.»

Mit dieser Anschauung vom Tod als dem Zentrum der Krankheiten scheint ein weiterer Ausspruch zunächst nicht vereinbar: «Auch die Inokulation des Todes wird in einer künftigen allgemeinen Therapie nicht fehlen; so wie manche Krankheiten unter den Erziehungs-Methoden stehen und von den Pädagogen dazu die Heilkunde requiriert werden wird.» Den zweiten Teil dieses Fragments, der sich mit den Erziehungsmethoden beschäftigt, lassen wir zunächst weg, um später darauf zurückzukommen. Der erste Teil besagt, daß zu einer zukünftigen Krankheitsbehandlung auch die Einimpfung eines Todesprozesses gehöre. Wenn das, was hinter der Krankheit steht, der Tod, auf der anderen Seite auch zum Heilmittel werden kann, wenn wir also zu viel, aber auch zu wenig, an Todesprozessen haben können, dann besteht Gesundheit in einem Sich-ins-Gleichgewicht-Setzen mit den Todes-Kräften. Haben wir zuwenig davon, dann muß der Todesprozeß selber als Heilmittel zugeführt werden. Gesundheit entsteht aus dem Gegeneinanderwirken entgegengesetzter Kräfte. Sie stellt ein labiles Gleichgewicht dar, das für jeden Menschen, für jedes Lebensalter verschieden ist. «Jedes Individuum hat sein bestimmtes Maß oder Gesundheitsverhältnis; unter oder über diesem Maß sind seine Krankheiten.»

Es herrschte damals, wie erwähnt, des medizinische System des Schotten John Brown. Er unterschied asthenische und sthenische Krankheiten, Krankheiten aus Schwäche und solche aus einem Überschuß an Kraft. Wir würden heute etwa von Aufbau (z.B. Wucherungen) und Abbaukrankheiten (z.B. degenerative Krankheiten) sprechen. So ist die Terminologie bei Novalis manchmal auch zeitbedingt: «In der Gesundheit sind Asthenie und Sthenie vereinigt.» Damit ist wieder auf das Gleichgewicht entgegengesetzter Kräfte gedeutet.

Wie schon für den Begriff der Krankheit, so finden wir auch für den der Gesundheit bei Novalis fruchtbare Ansätze. In der heutigen Medizin gibt es keinen Gesundheitsbegriff. – Der Gleichgewichtszustand der Gesundheit ist nichts Statisches, Gegebenes. Er ist ein ständig neu sich Bildendes, im Hin- und Herschwingen zwischen den Gegensätzen Entstehendes. Das heißt, die Grundlage der Gesundheit ist der Rhythmus, der zwischen den Polen Aufbau und Abbau, Assimilation und Dissimilation, Schlafen und Wachen, Einatmen und

Ausatmen usw. schwingt. Auch dafür finden sich Andeutungen bei Novalis. Er spricht direkt von dem «Rhythmus der individuellen Gesundheit». Er nennt die beiden Pole «Reiz» und «Reizbarkeit». – «Reiz» würde dabei auf der Seite des Abbaus stehen, «Reizbarkeit» liefert gewissermaßen das Material. Und so heißt es: «Das individuelle Verhältnis der Reizbarkeit und des Reizes ist der Rhythmus der individuellen Gesundheit.» «Jeder Mensch hat seinen individuellen Rhythmus.»

Aus diesem Gleichgewichtszustand zweier entgegengesetzter Krankheitstendenzen geht auch hervor, daß das Setzen einer Krankheit als Heilung für die entgegengesetzte Krankheitstendenz benutzt werden kann, wie wir Entsprechendes schon für den Todesprozeß als Heilmittel verfolgt haben. «Verfolgung der Idee: Krankheit durch Krankheiten zu kurieren.» «Ein Lokalübel läßt sich oft nicht anders kurieren als durch Erregung einer allgemeinen Krankheit und umgekehrt.» In bezug auf die Erzeugung von Fieberkrankheiten als Gegenmittel für andere Krankheiten war dieser Gedanke schon der alten Medizin bekannt. Von Parmenides wird der Ausspruch überliefert: «Gebt mir die Kraft, Fieber zu erzeugen, und ich heile jede Krankheit.» In der heutigen Medizin gewinnt dieser Gedanke langsam wieder an Boden, indem man etwa die Gehirnerweichung durch Malariafieber behandelte oder auch Fiebererzeugung bei der Behandlung der Geschwülste verwendet.

Auf eine andere positive Seite der Krankheit bezieht sich der zweite Teil des Fragmentes, den wir zunächst ausgelassen hatten: «So wie manche Krankheiten unter den Erziehungs-Methoden stehen und von den Pädagogen dazu die Heilkunde requiriert werden wird.» – Mit dieser Verbindung und Überkreuzung von Pädagogik und Heilkunde stößt Novalis in ein ganz modernes Gebiet vor, das erst über hundert Jahre später in der Waldorfpädagogik seine Verwirklichung erfahren hat. Der Schularzt im Sinne dieser Pädagogik steht so zwischen Medizin und Pädagogik, daß er einerseits mit medizinischen Mitteln pädagogisch-psychologische Wirkungen erzielt, andererseits durch seinen Einfluß auf die Unterrichtsgestaltung die Schüler gesundheitlich fördert.

Wenn man die «Krankheiten unter den Erziehungsmethoden» sieht, dann rechnet man mit einem verwandelnden Einfluß der Krankheit. Dieser wird für eine aufmerksame und allseitige Beobachtung besonders bei den sogenannten Kinderkrankheiten sichtbar: Nach dem ungestörten Durchmachen einer solchen Krankheit erweist sich das Kind häufig nicht nur in bezug auf seine Konstitution und seinen Kräftezustand gefördert, sondern es entwickelt auch neue Fähigkeiten. Was bei den Kinderkrankheiten am anschaulichsten ist, gilt aber auch für andere Krankheiten. So ergab eine kürzlich durchgeführte Untersuchung an Zwillingen, von denen nur der eine an Typhus erkrankt war, daß der erkrankte Zwilling nach der Wiederherstellung nicht nur in einer besseren körperlichen Verfassung war als der nicht erkrankte, sondern ihm auch an Willenseinsatz und Intelligenz überlegen war.[4]

Von den vielen menschenkundlichen Fragmenten bei Novalis, die sich z.B. mit Lachen und Weinen, Schlafen und Wachen, Nerv und Muskel befassen, möchten wir nur einige wenige herausnehmen, die sich auf das Sprechen im weitesten Sinne beziehen.

«(Poetische Physiologie). Unsre Lippen haben oft viel Ähnlichkeit mit den beiden Irrlichtern im Märchen. Die Augen sind das höhere Geschwisterpaar der Lippen, sie schließen und öffnen eine heiligere Grotte als den Mund.

Die Ohren sind die Schlange, die das begierig verschluckt, was die Irrlichter fallen lassen. Mund und Augen haben eine ähnliche Form. Die Wimpern sind die Lippen, der Apfel die Zunge und der Gaumen und der Stern die Kehle. Die Nase ist die Stirn des Mundes und die Stirn die Nase der Augen. Jedes Auge hat sein Kinn am Wangenknochen.»

Hier haben wir ein mehrfaches Vergleichen und In-Beziehung-Setzen. Einmal die Beziehung zu Goethes «Märchen». Dieser ist Friedrich Hiebel in seinem Novalis-Buch[5] nachgegangen. Dann den menschenkundlichen Vergleich von Mund und Auge, dem wir jetzt nachgehen wollen. Es ist «der Zauberstaub der Analogie», den Novalis hier schwingt. Das war eine damals auch von den Ärzten häufig geübte Form der Wahrheitsfindung. So heißt es z.B. bei einem der bekannten Ärzte dieser Zeit, dem Dr. Markus:[6] «Gewitter ist Fieber der Natur. Wassererzeugung dort ist Schweißerzeugung hier.» Aber während solches Vergleichen und Analogien-Suchen leicht im Äußerlichen hängen bleiben konnte, trifft es in dem Fragment des Novalis den Kern der Sache. Wenn es heißt: «Der Apfel [= der Augapfel] ist die Zunge und der Gaum und der Stern [damit ist offenbar die von der Iris umrahmte Pupille gemeint; das, was dem Blick das Strahlende, Sternenhafte gibt] die Kehle», so wird auf diejenige Seite des Auges gedeutet, die mit den Sprachorganen verwandt ist, wie das schon in dem Vergleich Mund-Auge liegt. Man kann mit Blicken sprechen: man kann mit den Augen bejahen, verneinen, befehlen, trauern und lächeln. Diese aktive Seite des Auges wird üblicherweise von der Physiologie nicht erfaßt. Da wird nur die passiv aufnehmende Seite des Auges gesehen, die das Licht aufnimmt wie das Ohr den Ton.

Das Ohr hat wirklich nur diese passive Seite. Es nimmt auf, es «verschluckt», wie es in dem Fragment heißt. Wir können noch so intensiv das Ohr auf jemanden richten, dadurch können wir ihm höchstens zu verstehen geben, daß wir ihn hören möchten; wir können ihm aber auf diese Weise keine Mitteilung machen. Die aktive Seite, die dem Ohr fehlt, finden wir desto ausgesprochener in einem anderen Organ: dem Kehlkopf. Ohr und Kehlkopf erst ergeben auf dem Gebiet des Tones das, was auf dem Gebiet des Lichtes zusammengefaßt ist in einem Organ, in dem Auge. Darauf hat Rudolf Steiner aufmerksam gemacht. Es liegt keimhaft schon in diesem Fragment des Novalis.

Hierher gehört auch: «Das Augenspiel gestattet einen äußerst mannigfaltigen Ausdruck. Die übrigen Gesichtsgebärden oder Mienen sind nur die Konsonanten zu den Augenvokalen ... Das Auge drückt sich auf eine ähnliche Weise, wie die Kehle durch höhere und tiefere Töne (die Vokale), durch schwächere und stärkere Leuchtungen aus ... –.»

Wenn es an anderer Stelle heißt: «Sprechen und Hören ist Befruchten und Empfangen», so ist das zunächst ein Vergleich, und zwar ein sehr einleuchtender. Aber dieser Vergleich ist spirituell richtig und erhellt weite Zusammenhänge und Zukunftsperspektiven. Die Beziehung der Sprach- und Hörorgane zu den Zeugungsorganen ist damit angesprochen, die bis in anatomische und physiologische Verwandtschaften geht. Man braucht nur an den Stimmwechsel in der Pubertät zu erinnern. Die Beziehung wird aber einmal noch konkreter werden, wie wir aus der Geisteswissenschaft Rudolf Steiners wissen können: In ferner Zukunft wird die Schöpferkraft des menschlichen Wortes so mächtig sein, daß der Kehlkopf zum Fortpflanzungsorgan wird.

Novalis' Geistesart ermöglichte ihm nicht nur solche weitgreifenden und blitzartig erhellenden Erkenntnisse, sondern durchaus auch praktische Einsichten in das ärztliche Handeln und in die soziale Position des Arztes.

«So wie sich die Natur an gewisse Mittel gewöhnt, so gewöhnt sie sich auch an Heilmethoden, und man hat nötig, oft bei chronischen Krankheiten, die diesen Namen nicht ohne Bedeutung führen, plötzlich oder allmählich nach Befinden der Umstände mit der Heilmethode zu changieren. Daher hat oft ein zweiter Doktor soviel Glück.» Das ist eine wichtige praktische Maxime, einmal für den Patienten, damit er den ersten und den zweiten Doktor richtig beurteilt; dem zweiten nicht zu viel, dem ersten nicht zu wenig Ehre gibt. Aber auch für den Arzt, denn wenn er sich ihrer bewußt ist, dann kann er selber der zweite Arzt sein und die Heilmethode wechseln.

«Mit Ärzten und Geistlichen macht sich kein Großer Bedenken, öffentlich und vertraut zu erscheinen, denn jeder, der ihm begegnet, ahndet so gut wie er die Unentbehrlichkeit dieser Leute in unvermeidlichen Stunden.» Hier wird in einer leicht humorvoll wirkenden Weise und die Allgemeingültigkeit des ärztlichen Berufes und auf die persönliche Wertschätzung des Arztes hingedeutet. Die Bedeutung des menschlichen Verhältnisses zu den Heilenden kommt in einer wesentlich radikaleren Form noch in dem folgenden Fragment zum Ausdruck: «Sollten Menschen allein Menschen kurieren können? als Arzneimittel gebraucht. Gemeinschaft mit dem Gesunden – dem absolut Gesunden – macht gesund.» Damit ist nicht gemeint, daß der Heilende immer ein Roboter an Gesundheit sein müsse, sondern daß schon aus seiner wirklichkeitsgemäßen Einstellung zur Gesundheit und seinem menschlichen Verhältnis zum Kranken ein gesundender Einfluß von ihm ausgeht. Gewiß hat das Heilmittel als solches eine objektive Bedeutung. Aber diese kann entscheidend verstärkt oder geschwächt werden durch das Verhältnis des Arztes zum Patienten. – Hier sind wir auf einem Gebiet, auf dem sich die nur naturwissenschaftlich orientierte Medizin zu ihrem Schaden ganz von der von Novalis angedeuteten Richtung entfernt hat. Die sozialen Verhältnisse einerseits und die technische Perfektion andererseits erschweren immer mehr die Begegnung von Arzt und Patient. In einem Bilde kann man sagen: Der Patient wird so von Apparaten und Formularen umstellt, daß der Arzt kaum noch an ihn herankommt.

Die Medizin hat eine allgemein-menschliche Bedeutung. Wie die Krankheit ein notwendiger Bestandteil des menschlichen Schicksals, so ist der Arzt ein notwendiger Begleiter des menschlichen Lebens.

Die Allgemeingültigkeit der Medizin hat noch eine andere Seite. Sie schließt mit ein, daß es zu den Aufgaben jedes Menschen gehört, sich mit Medizin, mit einer medizinisch gefärbten Menschenkunde zu befassen. Damit erlernt er die Kunst, in gesunden Tagen mit sich selber umzugehen und in kranken Tagen das wahrzunehmen und auszuschöpfen, was die Krankheit an verwandelnden Kräften zu geben imstande ist. – Diese Auffassung von der allgemeinmenschlichen Bedeutung der Medizin spricht aus den folgenden Fragmenten: «Je mehr die Heilkunde Elementarwissenschaft jedes Menschen werden wird . . . , desto freier wird die Brust des Menschengeschlecht werden. Jetzt suche jeder einzelne das Übel an der Wurzel anzugreifen, er studiere Medizin und beobachte und forsche und erwarte mehr gründliche Nutzen von der Aufklärung seines Kopfes als von allen Tropfen und Extrakten.»

«Die Medizin muß noch ganz anders werden: Lebenskunstlehre und Lebensnaturlehre.»

«Die Philosophie der Medizin und ihrer Geschichte ist ein ganz ungeheures und noch ganz unbearbeitetes Feld.»

«Krankheiten sind gewiß ein höchst wichtiger Gegenstand der Menschheit, da ihrer so unzählige sind und jeder Mensch so viel mit ihnen zu kämpfen hat. Noch kennen wir nur sehr unvollkommen die Kunst, sie zu benutzen. Wahrscheinlich sind sie der interessanteste Reiz und Stoff unseres Nachdenkens und unserer Tätigkeit. – Wie wenn ich der Prophet dieser Kunst werden sollte?» Er war es. Er war der Prophet dieser Kunst, Krankheiten zu benutzen. Die Keime einer künftigen Medizin sind bei Novalis veranlagt. Eine Heilkunst, die die Menschheit in heilsamer Weise in die Zukunft führen will, kann die einzuschlagende Richtung unübersehbar bei Novalis vorgezeichnet finden.

Für den Arzt sind die Fragmente nicht nur wegen ihres Inhaltes anregend, sondern auch wegen der darin enthaltenen Methode. An der Rätselform, in der manche von ihnen zunächst auftreten, kann sich der ärztliche Sinn üben, der sich in der Sprechstunde ja auch immer wieder vor Rätsel gestellt sieht, die es zu lösen gilt. Das unmittelbar blitzartig Aufleuchtende ist durchaus dem verwandt, was der Arzt erlebt, wenn er – allerdings in seinem eingeschränkten Bereich – einen diagnostischen oder therapeutischen Einfall hat. Die Beschäftigung mit den Fragmenten macht produktiv. Und schöpferische Fähigkeiten braucht der Arzt, wenn er von seiner Tätigkeit mit Recht als von einer ärztlichen Kunst sprechen will.

Darüber hinaus hat die Medizin im Sinne der Fragmente eine Bedeutung für jeden Menschen, wie wir sahen: «Je mehr die Heilkunde Elementarwissenschaft jedes Menschen werden wird (. . .), desto freier wird die Brust des Menschengeschlechts werden.»

Es ist in den Fragmenten ein Weg gewiesen, diejenige Seite des Lebens zu erschließen, die mit Krankheit, Tod und Leiden zusammenhängt. Nicht ein Weg nach rückwärts, indem man versucht, sich davor zurückzuziehen, sie zu verdrängen, sie auszuschalten. Dann kommen diese Plagen doch nur in verwandelter Form und mit verdoppelter Wucht zurück – als sogenannte Nebenwirkungen, als Folgekrankheiten, als Lebensunglück. – Die Fragmente zeigen den Weg, der nach vorne durchstößt und dieser zunächst absolut negativ wirkenden Seite des Lebens das abgewinnt, was sie an Verwandlungsmöglichkeiten, an Bewußtseinsveränderungen, an neuen Erlebnisbereichen mit sich bringt. Wenn wir uns «unseres hohen Ranges» als Menschen bewußt sind, können auch Krankheit, Tod und Leiden zu einem Bestandteil der «Lebenskunstlehre» werden.

In großer Überschau spricht das folgende Fragment noch einmal davon, wie die Krankheit in der menschheitlichen Gesamtentwicklung steht: «Das System der Moral muß System der Natur werden. Alle Krankheiten gleichen der Sünde darin, daß sie Transzendenzen sind. Unsere Krankheiten sind alle Phänomene einer erhöhten Sensation, die in höhere Kräfte übergehen will. Wie der Mensch Gott werden wollte, sündigte er. – Krankheiten der Pflanzen sind Animalisationen, Krankheiten der Tiere Rationalisationen, Krankheiten der Steine sind Vegetationen.» Es handelt sich bei der Krankheit um eine Grenzüberschreitung, um ein Hinüberstreben zum nächsthöheren Gebiet, zur nächsthöheren hierarchischen Stufe.

«Krankheiten der Steine sind Vegetationen», ein Hinüberstreben in das Pflanzliche, «Krankheiten der Pflanzen sind Animalisationen», ein Hinüberstreben in das Tierische, «Krankheiten der Tiere sind Rationalisationen», ein Hinüberstreben in den den Menschen auszeichnenden Bereich der Ratio. Und nun könnte man in der Terminologie des Novalis fortfahren: Krankheiten der Menschen sind «Anglisationen», ein Streben nach der nächsthöheren hierarchischen Stufe. Der Mensch sieht sich eingereiht in eine Stufenfolge, die ihn mit den umgebenden Naturreichen verbindet, die er aber auch in einem eigenen Wesen trägt.

Fast 200 Jahre sind vergangen, seit Novalis diese Skizze einer künftigen Medizin entworfen hat. Die medizinische Entwicklung der darauffolgenden Zeit ist zunächst ganz andere Wege gegangen. Nicht das Ineinanderwirken qualitativ verschiedener Bereiche wurde ins Auge gefaßt, sondern nur die rein physische Wirksamkeit der chemisch-physikalischen Gesetze. Nicht umfassende Ideen stellten die neu erforschten Tatsachen in sinnvolle Zusammenhänge, sondern die Forschung stieß auf allen Gebieten ins Kleine und immer Kleinere vor: Die Zelle als kleinste organische Einheit wurde zum Ausgangspunkt von Physiologie und Pathologie; die Krankheitsursachen suchte man bei den nur mikroskopisch faßbaren «Erregern» (Bakterien und Viren). Nicht der Mensch mit seinen seelischen und geistigen Eigenschaften stand im Mittelpunkt; er verschwand immer mehr aus den Vorstellungen über Gesundheit, Krankheit und Heilung, bis er zuletzt nur noch den Boden abgab, auf dem sich die Auseinandersetzung der Krankheit mit dem Heilmittel abspielte.

Daß aber trotz ihrer Erfolge die naturwissenschaftliche Denkart in der Medizin dem Menschen nicht gerecht werden kann, wird heute von den verschiedensten Seiten betont. Man bemüht sich um psychologische und soziologische Aspekte; man möchte «am Kranken bleiben», der Hausarzt soll wieder zu Ehren kommen etc. Aber all diese Bemühungen kommen gegenüber der Durchschlagskraft der naturwissenschaftlichen Richtung in der Medizin nicht auf. Die Medizin als angewandte Naturwissenschaft muß aus der ihr immanenten Logik den Menschen immer mehr verlieren.

Erst wenn es gelingt, die Exaktheit und Erfahrungssicherheit, welche die Naturwissenschaft auf ihrem Felde hat, durch adäquate Methoden auch auf die nicht sinnlich erfaßbaren Bereiche im Menschen auszudehnen, wird der Weg frei zum Erfassen des ganzen Menschen. Das ist der Weg, den Rudolf Steiner durch die anthroposophische Geisteswissenschaft eröffnet hat. Seine Anwendung auf die Medizin führt zu einer «Erweiterung der Heilkunst nach geisteswissenschaftlichen Erkenntnissen», die er in dem gleichnamigen Buch gemeinsam mit Ita Wegmann beschrieben hat.

Zur gleichen Zeit, in welcher Rudolf Steiner mit seiner geisteswissenschaftlichen Wirksamkeit begann, am Beginn des 20. Jahrhunderts, wurde der in der zweiten Hälfte des 19. Jahrhunderts fast vergessene Novalis wieder entdeckt. Ricarda Huch schrieb 1899 ihr bahnbrechendes Werk «Die Romantik», in welchem ein eingehendes Kapitel Novalis gewidmet ist. Und seither ist die Novalis-Forschung immer weitergegangen. Ein anbrechendes «lichtes Zeitalter» schuf die Voraussetzungen für ein neues Verständnis des «Verkünders des goldenen Zeitalters».[7]

Anmerkungen

1 B. Naumyn (1839–1925).
2 R. Steiner/I. Wegman: Grundlegendes für eine Erweiterung der Heilkunst nach geisteswissenschaftlichen Erkenntnissen (1925), Dornach 1991 (GA 27).
3 Ebenda.
4 H. K. Goswami, Studies on Twins: Typhoid favours co-twin, Acta Gen. Med. Gmell., 17 (1968) 402–407.
5 F. Hiebel, Novalis (1951), Bern 1972.
6 Dr. Markus, aus: Ricarda Huch, Die Romantik, Kap.: Romantische Ärzte.
7 H. Mählin, Novalis Schriften, Bd. II, Stuttgart 1965.

Das Rätsel der Legasthenie

Ein 14jähriger Junge wird von seinem Klassenlehrer in die Schulsprechstunde gebracht wegen der auffallenden Fehler, die er beim Schreiben und Lesen macht. Beim Abschreiben von der Wandtafel und beim Lesen läßt er nicht nur Buchstaben, sondern auch Silben, ja sogar ganze Wörter aus, als ob er sie nicht sähe. Er liest falsch, verwechselt b und d, p und q, u und n, w und m. Häufig stellt er Buchstaben um, liest oder schreibt etwa «Gars» statt «Gras», «nie» statt «ein». Manchmal kann er irgendein einfaches Wort gar nicht lesen, während ihm komplizierte und lange Worte unter Umständen keine Schwierigkeiten bereiten. Überhaupt ist seine Lesefähigkeit stark wechselnd; zuweilen liest er relativ fließend, dann wieder stolpert er über die einfachsten Worte. Im übrigen ist er ein interessierter, wenn auch kein besonders guter Schüler.

In der Sprechstunde wird dem Jungen ein gerade vorhandener medizinischer Text vorgelegt. Statt «Klinik» liest er «Kilnik». Schwierige Worte wie «Universität» oder «Pädiatrie» gelingen ihm anstandslos. Dagegen bringt er das Wort «Schwester» auch bei längerem Bemühen nicht heraus, obgleich er jeden einzelnen Buchstaben benennen kann. Der weitere Bericht über den Jungen lautet:

Er lernte Laufen und Sprechen mit 1½ Jahren. An Kinderkrankheiten machte er Mumps, Masern, Keuchhusten und Scharlach durch. Appetit und Schlaf sind gut.
Aus der Vorgeschichte ist noch erwähnenswert, daß er als Kleinkind bei wechselndem Aufenthaltsort der Eltern nach- und nebeneinander drei verschiedene Sprachen (Englisch, Hochdeutsch und Plattdeutsch) sprach.
Befund: Kräftiger, muskulöser Körperbau, altersentsprechende körperliche Entwicklung.
Der linke obere zweite Schneidezahn ist nicht angelegt. Geringe Anschwellung der Schilddrüse und leichtes Fingerzittern (Pubertätsstruma).
Hände und Füße kalt und blau. Knicksenkspreizfüße. Sonst körperlich keine Besonderheiten.
Auffallend sind die weichen, ungeformten Gesichtszüge; besonders die Mundpartie ist schlaff und willenlos. Er lispelt und spricht unartikuliert und verwaschen. In bezug auf seine charakterliche Reife ist er nach der Schilderung des Lehrers um zwei Jahre zurück. Er habe keine Formkräfte, «er zerfließt seelisch wie ein Pudding».
Er ist Rechtshänder; auch Auge, Ohr und Fuß sind rechtsdominant.

Die Untersuchung des Jungen ergibt keine besonderen organischen Störungen. Die geringe Übertätigkeit der Schilddrüse und die Durchblutungsstörungen an Händen und Füßen stellen vorübergehende, durch das Lebensalter (Pubertät) bedingte Erscheinungen dar. – Weiche ungeformte Gesichtszüge findet man bei Kindern mit Schreib-Lese-Störungen häufig. Die darin sich aussprechende zu geringe Durchformung der oberen Organisation äußert sich in unserem Falle auch in der verwaschenen Sprache und in der Art, wie er sich seelisch darlebt.

Es handelt sich um eine typische Schreib-Lese-Störung, die als «Legasthenie» bezeichnet wird. Wenn schwache und pathologische Kinder Schwierigkeiten im

Lesen- und Schreibenlernen haben, so ist uns das im Rahmen des Gesamtbildes verständlich. Von eigentlicher Legasthenie spricht man aber erst dann, wenn diese Störung scheinbar isoliert bei sonst guter Begabung auftritt. Es kann allerdings manchmal ein ursprünglich gut veranlagtes Kind durch die seelischen Konflikte und die Verständnisschwierigkeiten, die es in der Schule durch sein partielles Unvermögen erlebt, mehr oder weniger gestört werden.[1]

Die Beziehung der Buchstabenform zum Laut, die Zusammenfügung der Laute zum Wort, die Verbindung des geschriebenen oder gedruckten Wortes mit dem Begriff, das alles bereitet solchen Kindern die größten Schwierigkeiten. Wenn sie dann endlich mit großer Anstrengung grundsätzlich das Lesen und Schreiben gelernt haben, was meistens mit 9 bis 10 Jahren geschieht, dann unterlaufen ihnen doch weiterhin die merkwürdigsten Fehler, die vor allem durch die Vertauschung von rechts und links, von oben und unten charakterisiert sind. Die anderen Fehler sind sekundärer Natur und mehr oder weniger von dieser Grundstörung abzuleiten.

Zum erstenmal wurde eine derartige Schreib-Lese-Störung Ende des letzten Jahrhunderts in England beschrieben.[2] Auch die weiteren Meldungen kamen zunächst aus dem englischen Sprachbereich. Dann breitete sich die Störung in steigendem Maße über die ganze zivilisierte Welt aus und scheint weiterhin im Zunehmen begriffen. Es gibt regionale Verschiedenheiten; besonders betroffen scheinen die USA, England und Skandinavien zu sein. Einen Anhaltspunkt für die Verbreitung der Schreib-Lese-Störung liefert die folgende Tabelle nach Kirchhoff[3] und anderen:

Jahre	Ort	Autor	Häufigkeit in % bzw. ‰
1905	England	Thomas	½ ‰
1911	Köln	Warburg	7 ‰
1025	Stockholm	Tamm	11 %
1927	Deutschland	Bachmann	1,2 ‰
1928	USA	Orton	2 %
1942	USA	Bakwin	10–15 %
1945	Basel	Probst	1 ‰
1947	Kopenhagen	Tordrup	1 %
1950	Stockholm	Hallgren	mindestens 10 %

Nach neueren Tabellen[4] rechnet man im deutschen Sprachbereich mit etwa 8 % legasthenischen Kindern, in den USA mit 12 bis 15 %. Genf soll 5 % Legastheniker aufweisen. Schenk fand bei einer Reihenuntersuchung von 2000 Wiener Kindern am Ende des 2. Schuljahres 81 % legasteniefreie, 15,1 % mit leichter Störung, 3,9 % mit schwerer Legasthenie.

Die außerordentlich variierenden Häufigkeitsangaben (zwischen Promille und Prozent) gehen wohl nicht nur auf zeitliche und regionale Unterschiede, sondern auch auf die verschiedene Beurteilung durch die einzelnen Autoren zurück. Trotz dieser Ungenauigkeit ist doch ersichtlich, daß die englisch und skandinavisch sprechenden Völker an erster Stelle stehen, und daß die Störung im Laufe unseres Jahrhunderts häufiger geworden ist. Die geringe Lauttreue, bei der das gesprochene und das geschriebene Wort sich wenig entsprechen, wird als Grund für die große Verbreitung im englischen Sprachgebiet angesehen. Dieser Grund würde für die skandinavischen Sprachen nicht in gleichem Maße gelten und stellt auch sicher nur einen Teilfaktor dar. Für die herausgehobene Stellung Englands muß noch ein allgemeinerer Grund vorhanden sein, denn auch andere, neu aufgetretene

Störungen der kindlichen Entwicklung, die mit dem Lesen und Schreiben in keinem direkten Zusammenhang stehen – wie z. B. der Mongolismus, die cerebrale Kinderlähmung, die Encephalitis –, haben diesen Gang genommen, daß sie im Laufe des letzten Jahrhunderts zunächst England bevorzugten und dort auch beschrieben worden sind und sich dann allmählich über die ganze zivilisierte Welt ausgebreitet haben. – Immerhin ist für englisch sprechende Kinder das Lesen- und Schreibenlernen zweifellos erschwert. Das mag auch bei unserem Jungen, der zeitweise Englisch sprach, mitgewirkt haben.

Weitere Faktoren, die ebenfalls im Sprachbereich liegen und die Schreib-Lese-Schwäche begünstigen, sind häufiger Sprachwechsel und eigentliche Sprachstörungen (gestörte Artikulation). Auch diese beiden Voraussetzungen treffen in unserem Fall zu. Es gibt noch eine große Reihe verschiedenster anderer Faktoren, die erfahrungsgemäß beim Auftreten der Legasthenie beteiligt sein können, wie optische und akustische Störungen, Unsicherheit in der Raumorientierung, gestörte Familienstruktur, anregungsloses Milieu, psychologische Hemmungen usw.[5] Aber *alle* bisher genannten Faktoren sind nicht obligat und können im einzelnen Fall auch fehlen; vor allem erklären sie nicht das gesetzmäßige Auftreten der Symptome. Warum kommt es gerade zu diesen spiegelbildlichen Vertauschungen und zu den Auslassungen? Einzig der Begriff «Unsicherheit in der Raumorientierung» hat einen direkten Bezug zu dem Kern des Problems, aber er erklärt es nicht.

Daß die Raumorientierung gestört ist, zeigt uns das Schriftbild eines solchen Kindes, auch wenn sonst keine Symptome dafür festzustellen sind. Häufig – nicht in unserem Falle – finden sich aber noch weitere Abweichungen in der räumlichen Orientierung, namentlich in dem Verhältnis von rechts und links, wie Linkshändigkeit oder wechselnde Dominanz. Unter wechselnder Dominanz versteht man die Erscheinung, daß die Betonung wechselt, daß z. B. Rechtsäugigkeit, Linksohrigkeit, Linkshändigkeit und Rechtsfüßigkeit bei ein und demselben Kinde vorkommen. – Der Legastheniker kann offenbar Richtungen schlecht unterscheiden; ob ein Buchstabe sich nach rechts oder links, oben oder unten wendet, bleibt für ihn weitgehend unterschiedslos.

Wie kommt es zu diesem rätselhaften Verhalten? Die Antwort auf diese Frage ließe sich finden, wenn es gelänge, die Stelle nachzuweisen, an der dieser hier beim Lesen und Schreiben abnorm wirkende Vorgang berechtigterweise auftritt. Das ist ein Weg, der ganz allgemein begangen werden kann, wenn es gilt, eine zunächst rätselhafte Erscheinung innerhalb des menschlichen Bereichs aufzuklären. Nehmen wir z. B. an, wir wüßten noch nicht, worauf die Gelbsucht beruht; dann könnten wir uns fragen, wo im Zusammenhang des Organismus diese gelbe Farbe, die wir an der Haut bemerken, normalerweise auftritt. Wenn wir entdecken, daß dies in der Galle der Fall ist, dann könnten wir sagen: das Wesen der Gelbsucht besteht darin, daß der Gallenfarbstoff sich (auf den Bahnen des Blutes) über den ganzen Körper verbreitet hat.

Zurück zu unserem Problem. Der Legastheniker unterscheidet beim Schreiben und Lesen nicht genügend zwischen rechts und links, oben und unten. Die zivilisierte Menschheit hat sich aber im allgemeinen für eine bestimmte Richtung der Schrift entschieden, für die Richtung rechts-oben. Von den vier Möglichkeiten, das Wort «*FORT*» zu schreiben, ist uns nur die unterstrichene geblieben:

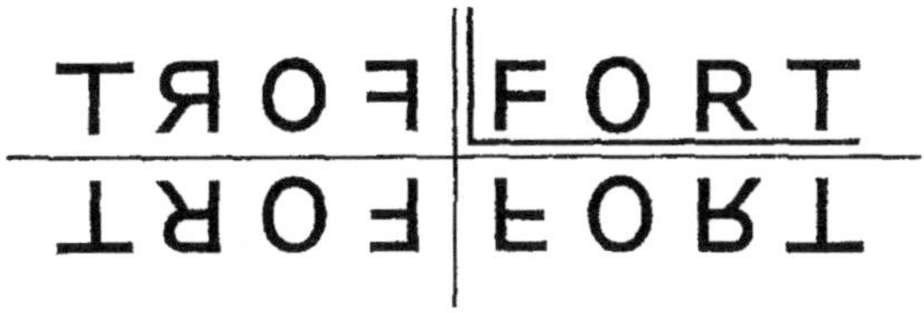

Abbildung 1: Potentieller Schriftsatz eines Legasthenikers

Für den Legastheniker aber scheinen alle vier Möglichkeiten fast die gleiche Bedeutung zu haben. Darum lesen diese Kinder Spiegleschrift oder auf den Kopf gestellte Schrift häufig ebenso leicht oder schwer wie gewöhnliche Schrift. Gibt es im Menschen einen Vorgang, der sich gerade so gleichmäßig nach allen vier Richtungen erstreckt? Es gibt ihn; aber um ihn zu finden, müssen wir aus dem seelischen Bereich in den organischen Bereich hinüberwechseln und gleichzeitig den ungewohnten Schritt wagen, diese beiden Bereiche miteinander in Beziehung zu setzen. Dann können wir entdecken, daß in der Art, wie die Zähne aus dem Kiefer herauskommen, die gleiche Gesetzmäßigkeit herrscht. Beim Durchbruch der Milchzähne und beim Zahnwechsel erscheinen jeweils rechts und links, oben und unten die entsprechenden Zähne etwa gleichzeitig. Wenn z. B. die ersten Schneidezähne durchbrechen, so erscheinen zunächst innerhalb eines gewissen Zeitraums alle vier ersten Schneidezähne, ehe eine weitere Zahnart an der Reihe ist usw.

Die Zahnformel (Abb. 2) ist wie der potentielle Schriftsatz eines Legasthenikers (Abb. 1) nach rechts und links, oben und unten spiegelbildlich aufgebaut. Der Legastheniker hält beim Schreiben und Lesen an einer organischen Gesetzmäßigkeit fest, die wir während der

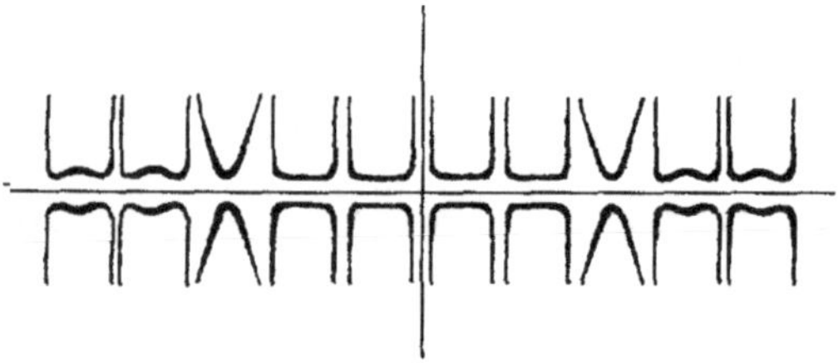

Abbildung 2: Gebiß-Schema

kindlichen Entwicklung zuletzt beim Zahnwechsel beobachten können.

Zahnwechsel, Schuleintritt und das Lernen des Lesens und Schreibens stehen in einem zeitlichen Zusammenhang (es soll hier nicht darauf eingegangen werden, daß durch die sogenannte Akzeleration oder durch behördliche Vorschriften, die das Alter des Schuleintritts festlegen, diese Verhältnisse verschoben werden können), und hinter diesem zeitlichen Zusammenhang steht eine innere Zusammengehörigkeit dieser drei Erscheinungen. Rudolf Steiner hat geschildert,[6] daß im Aufbau und in der Gestaltung der Leiblichkeit ein übersinnliches Wesensglied, der Äther- oder Bildekräfteleib, als plastische Kraft wirksam ist. Um das siebente Jahr herum emanzipiert sich ein Teil dieser im Ätherleib tätigen Bildekräfte von seiner ursprünglichen leibgestaltenden Tätigkeit und wird im Seelenleben des Kindes zur Grundlage des Vorstellens und der Lernfähigkeit und damit auch der Möglichkeit, Lesen und Schreiben zu lernen. Diese Metamorphose liegt dem Eintritt der Schulreife zugrunde. Weil nach der Gestaltung der ersten und zweiten Zähne keine dritten Zähne mehr zu bilden sind, würden die hier tätigen Bildekräfte gewissermaßen «arbeitslos» werden, wenn sie nicht eine neue Aufgabe erhielten. Wie sie vor dem Zahnwechsel Zelle an Zelle zur

Bildung der Zähne zusammengefügt haben, so fügen sie jetzt im Vorstellungsleben Gedanke an Gedanke zu übergeordneten Begriffsgruppierungen zusammen, die dann im Gedächtnis behalten werden können.

Auf das Lesenlernen bezogen heißt das: Das Kind hat jetzt die Möglichkeit, die Zusammenhang schaffende Tätigkeit des Denkens auf die Verbindung des Lautes mit der Buchstabenform, der einzelnen Buchstaben zum Wortbild, des Wortes mit dem Begriff usw. zu erstrecken und damit eben Lesen zu lernen. Wir sehen an diesen Beispielen, wie ähnlich die plastischen, Ganzheiten schaffenden Kräfte im Organischen und im Seelischen wirken. Auch die Art, wie wir unserem Gedächtnis verlorengegangene Gedankenreihen aus anderen heraus wieder ergänzen, ähnelt weitgehend derjenigen, mit der z. B. niedere Organismen verlorengegangene Teile ihres Körpers aus dem Verbliebenen regenerieren.

Aber es besteht doch ein grundlegender Unterschied zwischen den beiden Bereichen: während die Bildekräfte im Organischen unbewußt-weisheitsvoll nach allen Seiten schaffen, werden sie im Vorstellungsleben in den Dienst des bewußten menschlichen Willens gestellt. Eigentliches Denken kommt nur durch eine Willensanstrengung zustande. Aus der Welt des Willens aber, in der das Ich lebt, schlägt eine ganz andere, richtungsgebende Gesetzmäßigkeit in die organisch bildende hinein. Nicht Symmetrie, Spiegelbildlichkeit herrscht hier im Bereiche des Willens, sondern einseitige Betonung. Wir können das schon daraus ablesen, daß die Stoffwechselorgane, auf die sich der Wille stützt, asymmetrisch angeordnet sind, während Kopf, Sinnesorgane und Gehirn symmetrisch gebaut sind. Überall, wo sich Asymmetrien in diesem oberen Bereich zeigen (z. B. einseitige Anlage der Sprachzentren oder der sogenannten motorischen Zentren), gehen sie auf einen von unten heraufschlagenden Willens-Bewegungs-Impuls zurück. Wenn etwa nach Verlust der führenden Hand die andere Hand zum Arbeiten und Schreiben gebraucht wird, dann hat diese Veränderung im Bewegungsorganismus zur Folge, daß auch das entsprechende motorische Zentrum im Gehirn auf die andere (entgegengesetzte) Seite verlegt wird.

Beim Legastheniker vollzieht sich die Metamorphose der Bildekräfte nicht vollständig. Er setzt die spiegelbildlich schaffende Gesetzmäßigkeit des organischen Geschehens im Lesen und Schreiben fort. Sein Ich ist noch nicht so weit, daß es den Willen in der jetzt erforderlichen Weise zum Eingreifen in das Gebiet des oberen Menschen impulsieren kann. Physiognomisch kommt das in den weichen ungeformten Gesichtszügen zum Ausdruck, auf die schon hingewiesen wurde. Verschiedene Untersucher sprechen von «infantilen Symptomen», von «partiellen Reifungsrückständen», von einer starken Mutterbindung, die dem Kleinkindalter gemäß wäre.[7] Auch diese Symptome weisen darauf hin, daß das Ich mit seinem Eingreifen im Rückstand ist, und daß der Legastheniker dadurch teilweise in der Gesetzmäßigkeit eines früheren Lebensalters verhaftet bleibt. Übrigens findet man solche spiegelbildlichen Vertauschungen der Buchstaben als schnell vorübergehenden Zustand bei vielen Schulanfängern. Man sieht da die Metamorphose rasch vorüberziehen, in der der Legastheniker stecken bleibt.*

* Wie diese spiegelbildlichen Gesetzmäßigkeiten noch in das Seelenleben der Kinder hineinspielen, zeigt sich an ihrer Freude an Kugelworten wie «Otto» oder «Anna» oder an spiegelbildlich aufgebauten Sätzen wie: ein Neger mit Gazelle zagt im Regen nie usw.

Wir haben damit einen Aspekt zum Verständnis der Legasthenie gewonnen. Warum treten aber diese merkwürdigen Vertauschungen gerade beim Erarbeiten der Buchstabenformen im Lesen und Schreiben auf? Dabei ist ja immer ein optischer Vorgang beteiligt. Schon früh hat man deshalb in einem gestörten Sehprozeß die Ursache gesucht. Man fand auch zahlreiche Augenfehler bei Legasthenikern. Es zeigte sich aber, daß sie keine entscheidende Rolle spielen. Auch bei ganz gesunden Augen kommt die Legasthenie vor, während sie andererseits bei hochgradigen Augenfehlern ausbleiben kann.

Ein eigenartiges Phänomen ist bisher in diesem Zusammenhang übersehen worden, daß wir nämlich die Haupterscheinungen der Legasthenie als Bestandteile des *normalen* Sehvorganges wiederfinden. Auf einer Etappe dieses Vorganges, in dem auf der Netzhaut entstehenden Bilde, kommt es physiologischerweise zu der Vertauschung von rechts und links, von oben und unten. Ja sogar eine Auslassung im Gesichtsfeld (Blinder Fleck) fehlt nicht. Im weiteren Verlauf des Sehvorganges werden diese Vertauschungen wieder rückläufig gemacht und die ausgelassene Stelle ergänzt, so daß aus dem umgekehrten, unvollständigen Netzhautbild die vollständige Gesichtswahrnehmung entsteht.

Warum nimmt der Sehvorgang diesen eigentümlichen Verlauf, daß zunächst das Bild der Außenwelt verdreht und dann wieder richtiggestellt wird? Das ist eine Teilerscheinung des allgemeinen Verhaltens des Menschen in seiner Auseinandersetzung mit der Außenwelt. Alles, was an den Menschen herankommt, muß zunächst zerschlagen und dann wieder aufgebaut werden, ehe er es in sich aufnehmen kann. Da er ein Ich ist, kann er nur Selbstgeschaffenes in sich ertragen. Unverarbeitete

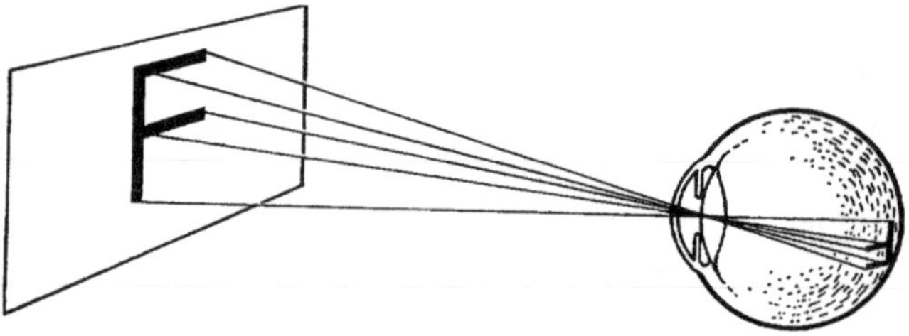

Abbildung 3: Schema des Netzhautbildes

Fremdstoffe – körperlicher, seelischer oder geistiger Art – müßten ihn krank machen. – Am deutlichsten zeigt sich dieser Vorgang bei der eigentlichen Verdauung, in deren Verlauf die Nahrungsmittel zunächst abgebaut, zerlegt und dann zu menschlichen Substanzen in neuer Weise wieder aufgebaut werden. Das kleine Kind, dessen Ich-Wesenheit noch wenig eingreift, kann diesen Verdauungsvorgang nicht ganz vollziehen und ist deshalb auf eine Art vorverdauter Nahrung, die Muttermilch, angewiesen. Wenn es schon früh andere Nahrung, z. B. Karotten erhält, dann kann man manchmal sehen, wie die Haut allmählich Karottenfarbe annimmt, d. h. die Karotte wird nicht vollständig verdaut, es kommt etwas von der unverarbeiteten Karottensubstanz in die Leiblichkeit hinein.

Beim Legastheniker bleibt das Schriftbild gewissermaßen auf der Netzhautstufe stehen (das heißt nicht, daß die Netzhaut irgendwie ursächlich an dem Entstehen der Legasthenie beteiligt wäre!); er kann die Buchstaben nicht vollkommen verarbeiten. Wir müssen die vom Ich ausgehende «Verdauungskraft» verstärken und ihm die Buchstaben in einer verdaulichen Form beibringen.

Warum sind es gerade die Buchstaben, die ihm Schwierigkeiten machen? Weil mit den Buchstaben etwas seiner Natur völlig Fremdes an das Kind herantritt. Das Kind ist ein Wesen, das aus einer geistigen Präexistenz kommt und zunächst nur die Voraussetzungen dieser geistigen Existenz mit sich bringt. «Da beginnt aber natürlich die Notwendigkeit, sich klar zu werden darüber, daß nur ganz Bestimmtes durch die Geburt in das physische Erdendasein hereingebracht werden kann. Was nur im Laufe der Kulturentwicklung durch äußere Konvention entstanden ist, damit gibt sich die geistige Welt nicht ab. Das heißt, unsere konventionellen Mittel zum Lesen, unsere konventionellen Mittel zum Schreiben – ich habe das von anderen Gesichtspunkten aus schon ausgeführt –, die bringt natürlich das Kind nicht mit. Die Geister schreiben nicht. Die Geister lesen auch nicht. In den Büchern lesen sie nicht, und mit der Feder schreiben sie nicht. Es ist nur eine Erfindung der Spiritisten, daß die Geister eine menschliche Sprache führen und sogar schreiben. Dasjenige, was in der Sprache und im Schreiben enthalten ist, ist Kulturkonvention. Das lebt hier auf der Erde. Und nur dann, wenn wir nicht bloß diese Kulturkonvention, dieses Lesen und Schreiben dem Kinde durch den Kopf beibringen, sondern wenn wir dem Kinde dieses Lesen und schreiben auch durch Brust und Gliedmaßen beibringen, dann tun wir ihm Gutes»[8].

Mit den Buchstaben, wie sie in unserer Zivilisation geworden sind, tritt dem Kinde etwa völlig Fremdes entgegen, zu dem es keine innere Beziehung entwickeln kann. Warum ein bestimmter Buchstabe, sagen wir ein «B», gerade diese Form hat und nicht eine ganze andere, das ist für das Kind zunächst überhaupt nicht einzusehen. Dieses Problem gilt für alle Kinder, aber das legasthenische Kind hat es besonders schwer, Zusammenhänge, mit denen es keinen Sinn verbinden kann, rein gedächtnismäßig zu behalten.

Beim Übergang von der Sprache zur Schrift ist immer ein ganz gewaltiger Sprung zu machen. Die Sprache gehört in den akustischen Bereich, in den Bereich des Gesprochenen und Gehörten. Wenn sie in der Schrift fixiert wird, so gerät sie in einen Bereich, der ihrem Wesen nicht entspricht, in den optischen Bereich, in den Bereich des Gesehenen. Sie wird zu etwas Paradoxem, sie wird zur «sichtbaren Sprache».

Für die alten Bilderschriften, für die Hieroglyphen in ihrer ursprünglichen Bedeutung oder für die chinesische Schrift, gab es dieses Problem nicht. Da handelte es sich gar nicht um die Wiedergabe der gehörten Sprache, sondern um die zeichenhafte Darstellung eines Wahrgenommenen. Da ging man nicht aus dem optischen Bereich hinaus. Das Zeichen für einen Gegenstand oder einen Vorgang hatte einen sinnvollen Zusammenhang mit dem, was es darstellen sollte. Nehmen wir das chinesische Schriftzeichen oder die ägyptische Hieroglyphe für «Regen» (interessanterweise sind beide Zeichen sehr

chinesisch ägyptisch

Abbildung 4: Bilderschriften

ähnlich). Da hat man ein Bild für das, was wir als Regen wahrnehmen. Das ist bei dem Wortbild für «Regen» absolut nicht der Fall. Um aus diesem Wortbild den Begriff und die Anschauung «Regen» herauszuentwickeln, bedarf es einer gewaltigen Abstraktionsleistung.

Im Grunde genommen haben alle Kinder der fremden Welt der Buchstaben gegenüber zunächst eine latente Legasthenie, was ja bei vielen Schulanfängern in der geschilderten Weise vorübergehend offenbar wird. Im allgemeinen gelingt es, die Kinder mit den üblichen Methoden zum Lesen und Schreiben zu bringen. Bei ihnen greift das Ich schon genügend ein, um an diese fremde Welt heranzukommen. Beim Legastheniker bleibt das Ich auf einer Vorstufe stehen.

Wir kommen damit auf einem anderen Weg zu dem gleichen Resultat wie schon vorher, als wir von der unvollständigen Metamorphose der Bildekräfte sprachen: das Ich des Legasthenikers greift nicht genügend ein, es hat die irdische Welt noch nicht in allen Bereichen altersentsprechend betreten. Es gibt zu denken, daß diese Erscheinungen bei den heutigen Schulkindern im Zunehmen sind.

In seiner neueren Arbeit liest man:[9] «Das Hauptcharakteristikum des legasthenischen Kindes ist die unreife Persönlichkeit. Die Persönlichkeitsbildung findet sich verzögert und deutlich unter dem nach Lebensalter, körperlicher und intellektueller Entwicklung zu erwartenden Niveau. Der Prozentsatz jener Legastheniker, die als auffallend ‹kleinkindhaft›, ‹infantil› bezeichnet werden, beträgt nach Kirchhof 60 %, nach unseren Erfahrungen bis gegen 70 %.» ...«Die Haltung des legasthenischen Kindes kann im allgemeinen als subjektiv-egozentrisch bezeichnet werden. Sie ist etwa der des 3- bis 4jährigen Kindes vergleichbar. Naive Ahnungslosigkeit seinen Fähigkeiten und Schwächen gegenüber und wenig Ansätze zur Selbstkritik und in der Folge zur Selbstkorrektur sind charakteristisch. Primär liegt meist eine Überschätzung des eigenen Körpers vor, da der Blick noch nicht über das eigene Tun hinausgreift und Vergleiche mit anderen anzustellen versucht. Das legasthenische Kind fühlt sich daher zunächst noch ganz wohl in seiner Kleinkindrolle. Ein subjektives Leiden stellt sich erst ein, wenn der Druck und die Anforderungen von außen her wachsen.»

Diese Schilderung stimmt durchaus zu der hier entwickelten Auffassung, daß das Ich des Legasthenikers mit seinem Eingreifen im Rückstand ist. Vielleicht läßt sich die vorwiegend negative Charakterisierung noch dahin ergänzen, daß legasthenische Kinder ein auffallendes Verständnis für spirituelle Vorstellungen besitzen. Das glaube ich in den mir bekannt gewordenen Fällen beobachtet zu haben.

Wie kann man diesen Kindern helfen? Das ergibt sich aus dem Wesen der Störung. Man muß die Buchstabenformen, die dem Kinde solche Schwierigkeiten machen, so zubereiten, daß es sie verarbeiten kann; und man muß das im Willen lebende Ich in seiner aus der Bewegung heraus formenden Tätigkeit anregen.

Der nächstliegende Gedanke ist der, daß man Lesen und Schreiben übt und immer wieder übt. Das ist gewiß auch notwendig, hat aber den großen Nachteil, daß man damit von dem Kinde das verlangt, was es eben gerade nicht kann. Man stößt sofort auf Unlust und Abwehr. Das direkte Angehen des Fehlers ist beim Kinde meistens der am wenigsten wirksame Weg.

Wenn man sich klarmacht, daß es sich um ein das ganze Kind umfassendes Entwicklungsproblem handelt, so findet man noch andere Ansatzpunkte. Alles, was die Persönlichkeitsentwicklung fördert, ist zugleich eine Behandlung der Legasthenie. In dieser Richtung wirkt ein Unterricht, der auf die Entfaltung der kindlich-schöpferischen Kräfte zielt. Deshalb ist jede kindgemäße künstlerische Betätigung hilfreich.

Das Kind muß ermutigt werden. Durch die bisherigen Erlebnisse des Mißerfolgs und des Versagens ist es entmutigt und in seiner Persönlichkeitsentfaltung noch weiter zurückgeworfen worden. Deshalb muß man ihm Erlebnisse verschaffen, in denen es sich bestätigt fühlen kann. Durch ein Vertrauensverhältnis zwischen Erzieher und Schüler kann das Kind als Mitarbeiter im Kampf gegen das Hindernis gewonnen werden.

Wir können die Zerlegung des Wortes in die Buchstaben nicht wieder rückgängig machen und zurückkehren zur alten Bilder- und Zeichenschrift. Aber wir können das Element der Bildhaftigkeit, das diese alten Schriften hatten, aufgreifen und beim Erlernen der Buchstabenschrift benutzen. Und dieses Erleben der Bildhaftigkeit ist ja ein elementares Bedürfnis des heutigen Kindes, dem nur leider häufig in einer für die Kindesnatur verhängnisvollen Weise entsprochen wird (Comic strips, Fernsehen).

Der Anfangsunterricht in den nach der Pädagogik Rudolf Steiners arbeitenden Heimen und Schulen enthält bereits Elemente, aus denen sich eine sinnvolle Behandlung der Legasthenie ableiten läßt. Da werden die Buchstabenformen aus lebhaft geschilderten Bildern herausentwickelt, z. B. das «W» aus der Form der Welle, das «B» aus der Brezel, das «L» aus dem Leuchter usw.

An solchen Bildern kann das Kind seelisch etwas erleben und sich dadurch innerlich mit den Buchstabenfor-

Abbildung 5: Bildhafte Entwicklung von Buchstabenformen

men verbinden. Ist diese innerlich sinnvolle Beziehung hergestellt, dann kann man weiterhin so vorgehen, daß man entweder das Wortbild aus den einzelnen Buchstabenformen zusammensetzt (synthetisch), oder daß man die Buchstabenformen aus dem Wortbild herausentwickelt (analytisch). Die Frage, ob «synthetisch» oder «analytisch» (Ganzwortmethode), die heute gerade im Zusammenhang mit der Entstehung der Legasthenie so heftig diskutiert wird, verliert an Bedeutung gegenüber dem primär Wichtigen, daß ein bildhaftes seelisches Erleben der Buchstabenform erreicht wird. Allerdings ist für den Legastheniker die analytische Methode weniger geeignet. – Es ist interessant, daß unter den mit legasthenischen Kindern arbeitenden Erziehern solche sind, die auf das gleiche Prinzip gekommen sind. Sie sagen, man müsse die Buchstabenformen «konkretisieren» oder «personifizieren»,[10] und sie meinen damit eben das, daß man sie aus einem anschaulichen Bild entwickeln müsse. Dieses Prinzip, das hier für die legasthenischen Kinder gefunden wurde, wird in der Pädagogik Rudolf Steiners auf alle Kinder angewendet. Alle Kinder machen ja die Metamorphose durch, die der Legasthenie zugrundeliegt, und bei vielen Schulanfängern kommt es deshalb vorübergehend zu den charakteristischen spiegelbildlichen Vertauschungen.

Eine weitere Hilfe bedeutet der Hinweis Rudolf Steiners, daß das Schreiben vor dem Lesen gelernt werden soll. Damit wird primär der in der Bewegung – auch in der Schreibbewegung – wirksame Wille angesprochen und bestätigt. Erst später geht man dann über auf das mehr gedankliche Element des Lesens. – In der ersten Schulstunde wird das Kind in eindrucksvoller Weise dazu gebracht, die «gerade Linie» und die «krumme Linie» (eine gebogene Form) zu zeichnen und zu erkennen. Man bringt ihm damit die beiden Elemente in die zeichnende Tätigkeit der Hände und in sein vorstellendes Bewußtsein, aus denen es bisher in unbewußter Weisheit seine Leibesform gestaltet hat; denn die gewölbte (Schädel) und die gestreckte Form (Gliedmaßen) bilden die Grundlagen der menschlichen Gestalt. Das sind aber zugleich auch die beiden Elemente, die es jetzt in allen Buchstaben wiederfindet (Abb. 6).

Wenn hier wiederholt auf die Pädagogik Rudolf Steiners verwiesen wird, so heißt das nicht, daß der Besuch einer nach dieser Pädagogik arbeitenden Schule in allen Fällen genügt, um das Auftreten einer Legasthenie zu verhindern, denn diese hat im allgemeinen einige lange vorschulische Entstehungsgeschichte. Aber es lassen sich aus dieser Pädagogik Methoden entwickeln, die bei entsprechend intensivierter und gezielter Anwendung zur Behandlung der Legasthenie geeignet sind. Nach den

Abbildung 6: Die Gerade und die Krumme

bisher vorliegenden Untersuchungen scheint die Legasthenie an den Waldorf- und Rudolf Steiner-Schulen sehr viel seltener aufzutreten als an anderen Schulen.

Die Entwicklung des kindlichen Auffassungsvermögens aus der Bildhaftigkeit heraus wird durch Symmetrieübungen gefördert.[11] Da zeichnet man dem Kinde eine einseitige Form auf und läßt es dann die spiegelbildliche Ergänzung dazu finden.

Mit einer solchen Übung veranlaßt man den Legastheniker, absichtlich gerade das zu tun, was ihm bei der spiegelbildlichen Umkehrung und Vertauschung der Buchstaben (Reversion) gegen seine Absicht unterläuft. Damit hebt man diesen Vorgang ins Bewußtsein und verhütet, daß er unbewußt weiterläuft. Außerdem erzieht man das Kind zu einem wirklichen Formgefühl. In ähnlicher Weise sind auch die Übungen im dynamischen Zeichnen nach Hermann Kirchner hilfreich.

Bei den Schwierigkeiten, die der Legastheniker auch mit dem Hören und Sprechen der gesprochenen Sprache hat, sind Sprachübungen notwendig, wie sie von Rudolf Steiner als «Sprachgestaltung» angegeben wurden. Je

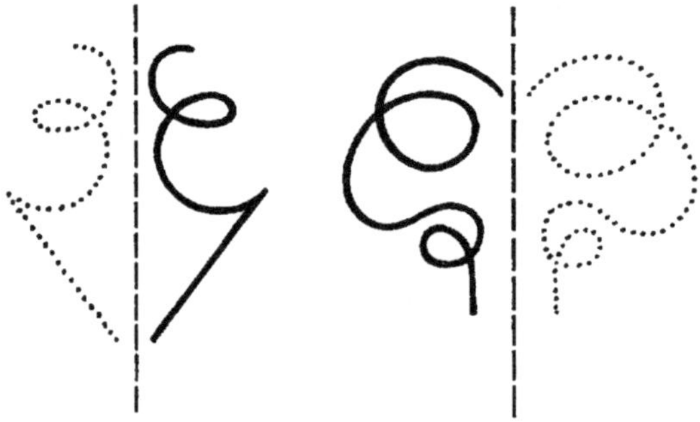

Abbildung 7: Symmetrie-Übung

besser der Legastheniker selber die Worte formen kann, desto besser lernt er seine Schwierigkeiten auch im Wahrnehmen der gehörten Sprache zu überwinden. Er übt sich darin, die einzelnen Laute aus dem Wort herauszuhören und ähnliche Laute (harte und weiche Konsonanten, Umlaute usw.) zu unterscheiden.

Die mangelhafte Gestaltungsfähigkeit und Gestaltauffassung des Kindes wird dadurch gestärkt, daß man es zunächst einmal seine eigene Körperlichkeit erfassen lehrt. Man sagt ihm etwa: «Faß einmal mit der linken Hand an das rechte Ohrläppchen, greife mit der rechten Hand an den linken Fuß usw.» Man merkt, daß ein solches Erfassen der eigenen Gestalt und ihrer Richtungen im Raum den Kindern zunächst gar nicht leicht fällt.

Für die Orientierung im Raum, für die Sicherheit im Erfassen der Richtungen, sind auch die eurythmischen Stabübungen hilfreich. Es gibt z. B. eine Übung, in der speziell die Richtungen «oben-unten», «rechts-links» geübt werden.

Die von Rudolf Steiner geschaffene Bewegungskunst der Eurythmie ist überhaupt die bei weitem wirksamste Hilfe für den Legastheniker. Bei ihr handelt es sich wie bei der Schrift um eine «sichtbare Sprache», aber um eine solche, in der die einzelnen Laute als durchseelte Bewegung des ganzen Menschen ausgeführt werden. Das Kind vollführt die Lautgebärden, die dem Wesen der Vokale und Konsonanten entsprechen. Es findet einen sinnvollen Zusammenhang zwischen dem gehörten Laut und seinem Ausdruck in der Gebärde. Es erlebt diese Gebärde in der Bewegung seines ganzen Leibes, so daß der Wille intensiv angesprochen wird. In der Eurythmie sind sämtliche Sinne beteiligt, nicht nur Auge und Ohr, sondern unter anderem auch Tast-, Bewegungs- und

Gleichgewichtssinn sowie weitere höhere Sinne. Der fließende Übergang von einem Laut zum anderen, der dem Legastheniker beim Lesen Schwierigkeiten bereitet, wird in der Bewegung mühelos vollzogen und vorgeübt.

Jede geformte Bewegung hilft dem Kind, weil sie aus dem durch das Ich impulsierten Willen entspringt. So hat sich in manchen Fällen das Schwimmenlernen als eine unerwartete Hilfe erwiesen. Aber die eurythmische Bewegung ist, wie auch die Erfahrung beweist, die weitaus wirkungsvollste, denn sie ist aus dem wesenhaften Zusammenhang mit der Sprache entstanden. Wenn die Legasthenie bis zur Pubertät nicht überwunden ist, so ist es im allgemeinen sehr schwer, noch etwas zu erreichen. Bei intensiver Anwendung der Eurythmie ergab sich aber auch in einem solchen Fall noch eine eindrucksvolle Besserung. Entscheidend ist dabei, daß der Schüler die eurythmischen Bewegungen innerlich bejahen kann und mit einer gewissen Freude mitmacht. Bei innerem Widerstreben wird der Erfolg in Frage gestellt.

In ihrer Abwandlung als Heileurythmie wirkt die Eurythmie direkt auf die Konstitution des Legasthenikers. Insbesondere der Vokal «E» in heileurythmischer Ausführung hat eine Beziehung zum Problem der Legasthenie. Er hat das Element der Überkreuzung in sich, das zur spiegelbildlichen Vertauschung von rechts und links führt. Hier handelt es sich um eine therapeutische Maßnahme, die vom Arzt verschrieben und eventuell noch durch ein eigentliches Medikament ergänzt wird.

Es ist kein Zufall, daß zwei so charakteristische Erscheinungen auf dem Gebiete der Sprache wie die Legasthenie einerseits und die Schöpfung der Eurythmie durch Rudolf Steiner andererseits in unserem Jahrhundert gleichzeitig auftreten. Man kann darin etwas sehen wie den weisheitsvollen Zusammenhang von Krankheit und Heilmittel, der sich hier in das Entwicklungsgeschehen der Menschheit hineinstellt. In unserer heutigen Schrift haben wir diejenige Form einer «sichtbaren Sprache» vor uns, die einen gewissen Höhepunkt der Perfektion erreicht und sich dabei völlig vom Menschen entfernt hat. Sie ist tot, erstarrt und abstrakt geworden. Dieser geschriebenen oder gedruckten Schrift gegenüber, die als das Hauptmittel der Verbreitung des Wissens in unserer Zivilisation erscheint, haben viele der heute geborenen Kinder große Schwierigkeiten. Diese Schwierigkeiten können überwunden werden mit Hilfe einer anderen Form der «sichtbaren Sprache», die einen Neubeginn setzt. Auch da wird die Sprache in den Bereich der Sichtbarkeit versetzt, aber nun so, daß ihr dabei die ganze Durchseelung und Aussagekraft des gesprochenen Wortes erhalten bleibt. Ja, ihre Ausdruckskraft wird noch dadurch verstärkt, daß nicht nur wie beim gesprochenen Wort ein spezieller Teil der menschlichen Organisation, sondern die ganze bewegte menschliche Gestalt zum Ausdruck der Sprache wird.

Entwicklung und Vorbeugung der Legasthenie

Schon aus den bisherigen Ausführungen ging hervor, daß es sich bei der Legasthenie nicht um eine isolierte Störung der Schreib- und Lesefähigkeit handelt, sondern um ein Entwicklungsproblem, welches das Kind als Ganzes betrifft. Zunächst allerdings sieht es nach einer «Teilleistungsschwäche» aus, denn es gehört ja zur Definition der Legasthenie, daß sie bei ungestörter Intelligenz auftritt. Wie aber ist das möglich? Beim Schreiben- und Lesenlernen scheint es sich doch um eine Intelligenzleistung zu handeln. Wenn ein normal intelligentes Kind unmusikalisch ist, so können wir das verstehen, denn da liegt der Ausfall auf einem ganz anderen Gebiet als dem der Intelligenz. Oder stützt sich das Schreiben- und Lesenlernen vielleicht noch auf andere Seelenfähigkeiten als auf die rein «cognitiven»?

Das erschwerte Schreiben- und Lesenlernen ist aber nicht nur die Folge einer Entwicklungsstörung, sondern es hat auch seinerseits wieder schwerwiegende Konsequenzen für die kindliche Entwicklung, ja unter Umständen für den ganzen Lebenslauf.

Das Lesen stellt eine der wichtigsten Quellen der Wissensübermittlung in unserer Zeit dar, von der sich ein solches Kind ausgeschlossen sieht. Es steht – ihm selber unbegreiflich – wie vor einer unübersteiglichen Mauer, die für seine Mitschüler nicht existiert. Die Verzweiflung über diese Situation kann so weit gehen, daß die Kinder nicht mehr leben mögen. Auf jeden Fall droht eine Fehlentwicklung, die sich in völliger Mutlosigkeit äußern kann oder auch darin, daß das Kind versucht, als eine Art Klassenclown ein Ansehen in der Klasse wiederzugewinnen, das es durch seine partielle Unfähigkeit verloren hat. Schuleschwänzen, aggressives und asoziales Verhalten sind weitere Stufen, die schließlich in ungünstigen Fällen beim Jugendlichen und Erwachsenen zu einer verfehlten Lebenssituation oder sogar zur Kriminalität führen können, wenn die Legasthenie nicht behoben wird.

Wenn es Legastheniker gibt, die sich trotz des schweren Hindernisses durchsetzen und eine ihren Fähigkeiten entsprechende Lebensstellung erringen können, so sind das leider Ausnahmen. Häufiger kommt es vor, daß junge Menschen trotz guter beruflicher und menschlicher Fähigkeiten nicht über die Stufe des Hilfsarbeiters hinauskommen, weil sie nicht lesen und schreiben können, was dann weitgehende Konsequenzen auch für die gesamtmenschliche Entwicklung hat. Es ist verständlich, daß sich an einem so schwerwiegenden Lebensproblem die Gemüter erhitzen, und daß die Frage nach der Ursache leicht zur Suche nach dem Schuldigen wird und zu Vorwürfen gegen die Beteiligten – Eltern, Lehrer, Ärzte – führt.

Durch unsere vorangehenden Untersuchungen waren wir auf zwei Faktoren gestoßen, die für die bei der Legasthenie auftretenden Erscheinungen verantwortlich sind:

1. Das Bestehenbleiben von Wachstumsgesetzmäßigkeiten im seelischen Bereich.
2. Das verspätete Eingreifen des Ich.

Betrachten wir diese beiden Faktoren noch etwas genauer und beginnen wir mit dem zweiten. Dieser, der auch als «verzögerte Persönlichkeitsreifung» bezeichnet wird, ist in seiner Bedeutung weitgehend anerkannt. Es fragt sich nur: warum greift das Ich nicht genügend ein? Das ist sicher eine Frage des individuellen Schicksals. Wenn wir bei den Legasthenikern Hinweise auf eine leichte frühkindliche Hirnschädigung finden, so ist damit eine Erklärung gegeben. Das Gehirn, als dasjenige Organ, über das sich die Inkarnation beim Kinde vor allem im ersten Jahrsiebent vollzieht, kann bei einer Schädigung das Eingreifen des Ich verzögern. Und umgekehrt wird die verzögerte Inkarnation auch wieder in einer verzögerten Reifung bestimmter Hirnzentren zum Ausdruck kommen. – Auch ungünstige Vererbungsverhältnisse bilden ein Hindernis für das Eingreifen des Ich. Ebenso kann die Verwahrlosung – das Ich des Kindes sieht sich nicht aufgenommen – eine verzögerte Inkarnation nach sich ziehen.

Der erste Faktor, das Bestehenbleiben von Wachstumsgesetzmäßigkeiten im seelischen Bereich, äußert sich in den eigenartigen spiegelbildlichen Erscheinungen, die in den Verdrehungen und Vertauschungen der Buchstaben (Reversion) beim Legastheniker sichtbar werden. Für diese Erscheinungen gibt es bisher keine Erklärungsmöglichkeit. Wenn man von Raumlagelabilität spricht, so ist dies nur eine Umschreibung des Problems mit anderen Worten. Wir fanden speziell in denjenigen Wachstumserscheinungen, die sich in der Anordnung der Zähne im Gebiß manifestieren, eine entsprechende spiegelbildliche Gesetzmäßigkeit wie in der Reversionstendenz der Buchstaben beim Legastheniker.

Diese Auffassung, die in ungewohnter Weise Gebilde aus zwei verschiedenen Seinsbereichen (Zähne und

Buchstaben) miteinander in Beziehung setzt, hat Zustimmung gefunden, ist aber auch nicht ohne Widerspruch geblieben. Die Einwände kamen von den Fachleuten beider Bereiche, von zahnärztlicher Seite einerseits, von psychologisch-pädagogischer Seite andererseits. Weil sich gerade aus der Auseinandersetzung mit diesen Einwänden ein vertieftes Verständnis für die Legasthenie ergibt, soll hier darauf eingegangen werden. «Durch nichts wird eine Anschauung besser beleuchtet als durch die Aufdeckung der ihr entgegenstehenden Irrtümer».[12]

Von zahnärztlicher Seite wurde geltend gemacht, daß man die doppelte Spiegelung – nach rechts-links und nach oben-unten –, wie sie in potentiellen Schriftsatz eines Legasthenikers zum Ausdruck kommt (Abb. 1), doch nicht vollumfänglich auf die Stellung der Zähne im Gebiß (Abb. 2) anwenden könne. Zwar sei die Rechts-Links-Spiegelung nicht zu bezweifeln, aber die unteren Zähne seien in Form und Stellung kein genaues Spiegelbild der oberen, vor allem deshalb, weil der obere mittlere Schneidezahl, größer ist als der untere mittlere Schneidezahn, wodurch es zu einer Verschiebung der Zahnreihe kommt. Man übersieht dabei, daß es sich bei den oberen und unteren Zähnen um homologe Gebilde handelt, die spiegelbildlich angeordnet sind, denn sie wenden sich die Schneidekanten zu. Man muß die unveränderte ideelle Struktur durch die abgewandelte materielle Erscheinung hindurch gedanklich erfassen können. Außerdem ist die sichtbare Spiegelbildlichkeit im Vergleichsobjekt, nämlich bei den Buchstabenformen der legasthenischen Kinder, sogar noch geringer. Wenn da ein «b» statt eines «p» geschrieben wird, so handelt es sich niemals um eine genaue Formentsprechung. Trotzdem ist die ideelle Spielbildlichkeit evident.

Ein zweiter zahnärztlicher Einwand besagt, daß die Buchstaben zwar auf einer Ebene erscheinen – der des Schreibpapiers nämlich –, die Zähne aber bogenförmig – im Zahnbogen – angeordnet sind, und daß man deshalb beide Gebilde nicht miteinander vergleichen dürfe. Auch hier wird wieder die materielle Erscheinung mit der ideellen Struktur verwechselt. Der Einwand geht am Wesen der Sache vorbei. Er ließe sich leicht entkräften, wenn man das Kind auf eine Litfaß-Säule schreiben ließe. Dabei würde sich zeigen, daß auf der gewölbten Papierfläche genau die gleichen legasthenischen Fehler gemacht werden wie auf der ebenen. Wir brauchen aber dieses Experiment gar nicht auszuführen, da auch bei bogenförmiger Anordnung der Buchstaben oder Zahlen – die einem von oben gesehenen Zahnbogen entspricht –, die legasthenische Spiegelbildlichkeit unverändert bleibt, wie aus der spontanen Zeichnung einer Uhr hervorgeht, die ein 6 Jahre 8 Monate alter Knabe gemacht hat (Abb. 8).

Während die Einwendungen der Zahnärzte sich auf die Zähne beziehen, gehen die Einwände der Psychologen auf Form und Stellung der Buchstaben. In beiden Fällen hat die genaue Fachkenntnis die Möglichkeiten zum Erfassen größerer Zusammenhänge nicht erleichtert.

In bezug auf die Buchstaben heißt es nun, daß deren spiegelbildliche Vertauschung oder Verdrehung nicht für die Legasthenie spezifisch sei, denn die Kinder machten nicht nur diese Fehler, sondern alle Schreib- und Lesefehler, die überhaupt möglich seien. Außerdem träte die Reversionstendenz auch in ganz anderen Zusammenhängen auf, so bei intellektuell schwachen Kindern (während die Legastheniker der Definition nach normal

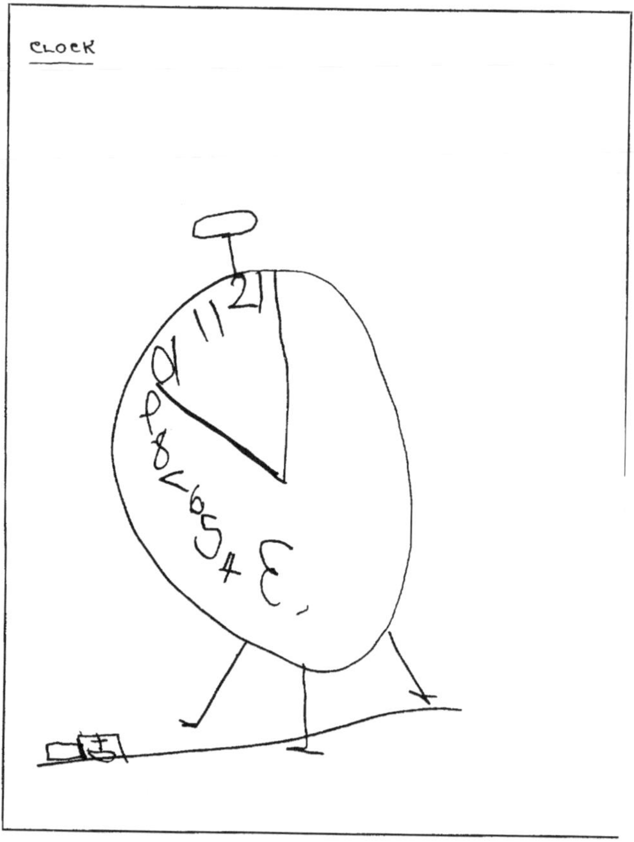

Abbildung 1: Legasthenische Merkmale in der Kinderzeichnung einer Uhr

intelligent sind), aber auch z. B. im Zustand der Übermüdung und schließlich in rasch vorübergehender Form bei vielen – wenn man genauer zusieht, sogar bei fast allen – Schulanfängern.

Diese vier Einwände sind zutreffend. Sie besagen aber nichts gegen die hier vertretene Auffassung der Legasthenie. Die beiden letzten Einwände liefern sogar ungewollte Bestätigungen dieser Auffassung.

Es stimmt, daß die Legastheniker alle Fehler machen können, die möglich sind. Aber die Reversionsfehler, in denen sich eine bestimmte Gesetzmäßigkeit ausspricht, machen sie eben auch; und zwar werden diese charakteristischen Fehler deutlich häufiger gegenüber den anderen Fehlern, wenn der Schweregrad der Legasthenie zunimmt.[13] Es handelt sich dabei um die primären Fehler, während die anderen Fehler durch Flüchtigkeit und vor allem auch dadurch entstehen, daß die ja intelligenten Kinder die entstehenden Lücken mit allen Mitteln auszufüllen, zu ergänzen und zu verdecken suchen. – Daß die legasthenie-spezifischen Fehler auch bei schwachen Kindern auftreten können, ist doch eigentlich kein Wunder, sondern im Rahmen der allgemeinen Schwäche verständlich.

Was besagt es, daß im Zustand der Übermüdung legasthenische Symptome auch bei Nicht-Legasthenikern auftreten können? Übermüdung bedeutet, daß die Persönlichkeitsäußerung beeinträchtigt ist. Das zeigt sich im Verhalten eines übermüdeten Menschen, und das kann jeder in diesem Zustand an sich selbst erleben. Die beeinträchtigte Persönlichkeitsäußerung, das verzögerte Eingreifen des Ich, hatten wir aber als einen für die Entstehung der Legasthenie verantwortlichen Faktor erkannt. Wir finden diese Auffassung bestätigt, wenn das vorübergehende Wirksamwerden dieses Faktors in der Übermüdung legasthenische Schreibfehler auch einmal an ganz ungewohnter Stelle hervorruft.

Und wenn schließlich die Reversionstendenz bei fast allen Schulanfängern vorübergehend auftritt, so ist gerade diese Tatsache kein Einwand gegen den spezifischen Charakter der Legasthenie, sondern sie besagt mit aller Deutlichkeit, daß diese Störung etwas zu tun hat mit einem bestimmten Zeitpunkt der kindlichen Entwicklung. Der Legastheniker bleibt wegen seiner verzögerten Persönlichkeitsreifung auf einer Entwicklungsstufe stehen, die der Schulanfänger normalerweise rasch durchschreitet, wie oben ausgeführt wurde.

Die verzögerte Persönlichkeitsreifung, das verspätete Eingreifen des Ich, steht im Hintergrund der ganzen Legasthenieproblematik. Das Ich lebt im Willen, und deshalb erweist sich die Legasthenie als ein Willensproblem und nicht als ein Problem der Intelligenz, wie es zunächst scheinen konnte. Damit beantwortet sich auch die eingangs dieses Kapitels gestellte Frage, ob sich das Schreiben- und Lesenlernen nicht noch auf andere Seelenfähigkeiten stütze als auf die rein «cognitiven».

Im allgemeinen gilt heute die Meinung, daß die Legasthenie frühestens im zweiten Schuljahr festgestellt und behandelt werden könne. Das verspätete Eingreifen des Ich äußert sich aber in bestimmten Vorformen schon lange vor dem Manifestwerden der Legasthenie. Dadurch ergibt sich die Möglichkeit einer vorbeugenden Behandlung.

Die fortschreitende Eingliederung des Ich im Laufe der kindlichen Entwicklung vollzieht sich in drei großen grundsätzlichen Schritten: im Gehen, Sprechen und Denken.[14] Dabei werden unter «Gehen» alle Bewegungsformen, alle motorischen Erscheinungen verstanden, die mit der aufrechten menschlichen Haltung zusammenhängen.

Auf jeder dieser drei Stufen ergeben sich für den späteren Legastheniker Schwierigkeiten, die auf das verzögerte Eingreifen des Ich hinweisen. Auf der Stufe des «Gehens» ist es eine auffallende motorische Unruhe. Häufig sind die Bewegungen eckig und mangelhaft koordiniert.[15] Kleinkindliche Bewegungsformen wie Einwärtsgang werden länger beibehalten. Die Beeinträchtigung des Bewegungsorganismus äußert sich bis in Muskel- und Bindegewebsschwächen der Gliedmaßen.[16] Auch die häufige Linkshändigkeit, die wir zunächst unter dem Gesichtspunkt der Lateralität betrachtet hatten, stellt eine motorische Abweichung dar.

Das Sprechen wird meistens verspätet erlernt und bleibt häufig undeutlich, verwaschen oder stammelnd. In diesen akustischen Bereich gehört auch die Schwierigkeit, Umlaute (ei, eu usw.) und stimmhafte und stimmlose Konsonanten zu unterscheiden.

Auf der Stufe des Denkens, auf der die Legasthenie dann manifest wird, zeigt sich die Störung auch in Konzentrationsschwäche und Hang zur Flüchtigkeit.[17]

Die hier angeführten Symptome auf den drei Stufen des Gehens, Sprechens und Denkens sind ein Ausdruck für das verspätete Eingreifen des Ich. Gelingt es uns, das altersentsprechende Eingreifen des Ich schon im Vorschulalter zu fördern, so beugen wir damit einer späteren Legasthenie vor. Alles, was ein kindlich-schöpferisches Tun in gesunder Weise anregt, dient diesem Zweck. Dazu sind vor allem die heute leider fast ausgestorbenen Bewegungsspiele der Kinder hervorragend geeignet. Diese wieder zu beleben, ist eine Hauptaufgabe des Kindergartens. Dagegen würde es ein Ertöten der schöpferischen Kräfte im Kinde bedeuten und damit eher eine Förderung der Legasthenie, wenn man im Kindergartenalter bereits mit Lesen- und Schreibenlernen beginnen würde.

Die Lagasthenie kann in ihren Vorformen im Bewegungs- und Sprachbereich schon vor dem eigentlichen Manifestwerden behandelt werden. Für die Bewegungsfähigkeit, die Übung der Sensomotorik, sind wiederum die Kinderspiele eines der besten Mittel. In gleicher Richtung wirkt eine kindgemäße Form der Eurythmie, die sogenannte Baby-Eurythmie. – Mit Reimen und Liedern läßt sich auch die Sprache schon in einer diesem Lebensalter entsprechenden Weise pflegen. – So kann eine gesunde Erziehung im Vorschulalter die Fähigkeiten vorbereiten, die dann später beim Lesen- und Schreibenlernen gebraucht werden.

Anmerkungen

1 J. Bjørneboe, Jonas, Stuttgart 1993.
2 J. Kerr, School Hygiene and its Mental, Moral and Physical Aspects, 1896. Zitiert nach H. Solms, Beitrag zur Lehre von der sog. Kongenitalen Wortblindheit, Basel 1974.
3 H. Kirchhoff, Verbale Lese- und Rechtschreibeschwäche im Kindesalter, Basel 1960.
4 Stand 1981.
5 F. Biglmaier, Lesestörungen, München 1960.
6 Rudolf Steiner, Die Erziehung des Kindes vom Gesichtspunkt der Geisteswissenschaft, Dornach 1992.
7 Kirchhoff, a.a.O..
8 R. Steiner, Allgemeine Menschenkunde als Grundlage der Pädagogik, Dornach 1992 (GA 293).
9 E. Kobi, Das legasthenische Kind, Luzern 1965.
10 O. Wild, Legasthenie, Schweizerische Lehrerzeitung, Zürich 97: 880 (1952).
11 R. Steiner, Gegenwärtiges Geistesleben und Erziehung, Dornach 1986 (GA 307).
12 R. Steiner, Grundlinien einer Erkenntnistheorie der Goetheschen Weltanschauung, mit besonderer Rücksicht auf Schiller, Dornach 1979 (GA 2).
13 Ch. Schenk-Danziger, Die Erscheinungsformen der Legasthenie. 4. intern. Kongreß für Heilpädagogik, Wien 1969.
14 R. Steiner, Die geistige Führung des Menschen und der Menschheit, Dornach 1987 (GA 1987).
15 H. und R. Meyer, Lese-Rechtschreibschwäche und ihre Behandlung im Unterricht, Hannover 1974. A. und V. Keeny, Dyslexia, Saint Louis 1968.
M. Critchley, The Dyslesic Child, London 1973.
16 G. Natterer, Waldkirch, mündliche Mitteilung.
17 R. Braumiller, Der Gleichgewichtssinn und die Legasthenie. Erziehungskunst Nr. 6, Stuttgart 1975.

Verwandlungen der Kleptomanie

Vor einiger Zeit fand in Basel eine Gerichtsverhandlung statt, welche Aufsehen erregte. Es handelte sich dabei um einen 47jährigen Mann, der bis dahin nicht nur als unbescholtener, sondern sogar als ein ungewöhnlich mustergültiger Mitbürger gegolten hatte. Nun war herausgekommen, daß er im Laufe der letzten drei Jahre in einer Buchhandlung etwa 100 Bücher hatte mitgehen lassen und auch in anderen Läden Haushaltungsgegenstände eingesammelt hatte. Es kostete gar keine Mühe, eine Liste dieser Gegenstände aufzustellen, denn sie fanden sich samt und sonders in einem Schrank bei ihm zu Hause, zu welchem er allein den Schlüssel hatte. In die Bücher hatte er nie hineingeschaut und die anderen Gegenstände nie benutzt. So konnte alles unbeschädigt den Eigentümern zurückgegeben werden, und obendrein bezahlte er das Ganze auch noch, denn er lebte in geordneten Verhältnissen. Das Gericht stand vor einem Rätsel. Darüber befragt, wie er denn dazu gekommen sei, sich diese Gegenstände anzueignen, schildert er: Wenn er in die Stadt komme, besonders im Winter und ganz besonders um die Weihnachtszeit, wenn die Läden festlich beleuchtet sind und ihm die farbigen Bucheinbände entgegenleuchten, so werde er von einem Erregungszustand erfaßt, ein Zittern überfalle ihn und ein völlig unwiderstehlicher Drang, sich die Gegenstände anzueignen. Nach dem

Verlassen des Ladens spüre er eine wunderbare Entspannung, die dann allerdings später von einem Kater mit quälenden Selbstvorwürfen gefolgt sei. Seine Stadtgänge unternähme er ohne die vorherige Absicht, sich etwas anzueignen, und bemerke erst hinterher so richtig, daß es wieder mit ihm durchgegangen sei. – Diese seltsamen Zustände, in denen der Angeklagte zum «Dieb» geworden ist, haben nach einem Autounfall begonnen, bei dem er sich eine Gehirnerschütterung zugezogen hatte. Der behandelnde Arzt war davon überzeugt, daß da ein Zusammenhang bestehe, während der begutachtende Psychiater nicht so sicher war und eher geneigt war, die Veranlassung in gewissen psychopathischen Zügen im Zusammenhang mit Eheschwierigkeiten zu sehen.

Ich berichte über diesen Fall vom Kleptomanie, weil ein Erwachsener besser über das Auskunft geben kann, was in ihm vorgeht, als dies Kinder im allgemeinen können. Im übrigen wollen wir uns aber vorwiegend mit der Kleptomanie im Kindesalter beschäftigen. Da wird zum Beispiel ein 10jähriger Junge in die Schulsprechstunde gebracht, von dem die Mutter erzählt, daß er sich wahllos alle möglichen Sachen aneigne. Bei näherem Befragen zeigt sich, daß er doch nicht ganz so wahllos vorgeht. Er bevorzugt kleine Dosen, Handschuhe, besonders schwarze, auch Geld, und eine besondere Vorliebe hat er für Formulare. Es fanden sich beim Reinemachen stoßweise Zahlungsanweisungen unter dem Bett, hinter den Möbeln und im Keller. Bei der Untersuchung zeigte er sich als ein altersentsprechend entwickelter Junge mit weichen Zügen, runden Backen und vollen Lippen. Organisch zeigt er weiter keine Besonderheiten, außer einem Symptom, das man aber ohne besonderen Hinweis nicht beachten würde. Rudolf Steiner nannte es die

«Schmalköpfigkeit»: die Schläfengegend ist im Gegensatz zu dem vollen Gesicht eingeengt, so daß etwa folgender Gesichtsumriß entsteht (Abb. 1).

Dieses Symptom, das sonst nirgends beschrieben wird, war hier sehr ausgesprochen. Man findet es aber, einmal aufmerksam geworden, in mehr oder weniger guter Ausprägung immer wieder, so daß man es mit Erfolg – wie ich aus Erfahrung weiß – zu einer Anhiebsdiagnose verwenden kann.

Ein weiteres Beispiel liefert eine 7jährige Schülerin, die zu Hause und in der Schule wiederholt Gegenstände und kleinere Geldbeträge an sich nahm. Auf Befragen leugnet sie zunächst, gibt dann aber die Tat zu und bringt die gestohlenen Sachen zurück. Mit der Wahrheit hat sie es überhaupt nicht ganz leicht; es handelt sich nicht immer um ausgesprochene Zwecklügen, sondern z. B. auch um phantastisch aufgebauschte Berichte von Ferienerlebnissen.

Schwangerschaft und Geburt verliefen ohne Besonderheiten. Laufen erlernte sie mit 16 Monaten, Sprechen mit 2 Jahren, also nicht verspätet. An Kinderkrankheiten machte sie Masern und

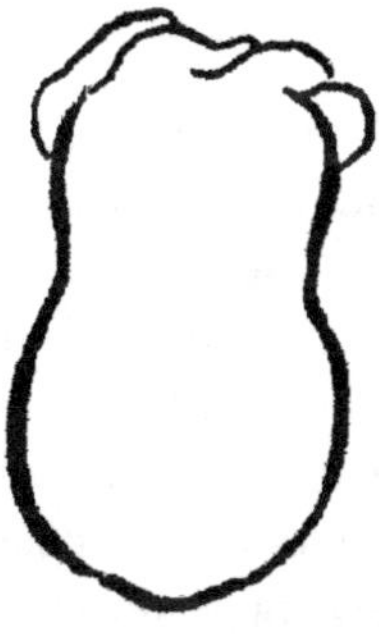

Abbildung 1: Gesichtsumriß eines «schmalköpfigen» Kindes

Windpocken durch. – Schlaf und Appetit sind gut. – Sie lutscht am Daumen und kaut an den Fingernägeln.

In der Klasse ist sie still und fleißig und hält sich stark an den Klassenlehrer, während sie an ihre Mitschüler nur schwer Anschluß findet.

Befund: Größe 129 cm, Gewicht 23 kg. Langes, schmales, blasses Mädchen mit Hohlkreuz und Knicksenkspreizfüßen. Innere Organe ohne Besonderheiten. Der Blick ist unsicher. Sie lispelt und hat eine distale Zahnstellung.

Das Kind war im ganzen und in bezug auf seine Kopfform schmal gebaut. Trotzdem war die spezielle Einengung der Schläfengegend, die eigentliche «Schmalköpfigkeit», auch hier auffallend, besonders dadurch, daß im Widerspruch zu dieser Einengung die Nasenwurzel breit war und die Augen relativ weit auseinanderstanden (fast ein Hypertelorismus) wodurch eine ganz eigenartige Physiognomie entstand. Der sehr verständigen Mutter wurde empfohlen, abends nach dem Zubettgehen mit ihr den Tagesablauf zu repetieren und ihr möglichst oft «Moralische Geschichten» (siehe die späteren Ausführungen) zu erzählen. Auch erzählte, soweit das im Klassenganzen möglich war, der Lehrer öfters auf ihren Fehler bezügliche moralische Geschichten. Er ließ sie außerdem Sprachübungen – in dem später zu beschreibenden Sinne – machen, wobei sie kleine Sätze vorwärts und rückwärts aufsagen mußte. Außerdem erhielt sie eine spezielle Heileurythmie und medizinische Behandlung.

Nach 3 Jahren kam von Mutter und Lehrer der Bericht, daß keine kleptomanen Symptome mehr aufgetreten seien.

Was liegt nun dem allem zugrunde? Wenn man in einem Lehrbuch der Heilpädagogik über diese Frage nachliest, so findet man: «Von Kleptomanie spricht man dann, wenn das Stehlen ganz abnorme Formen annimmt und mit keinerlei Zweck verbunden ist. Oft findet man bei Kleptomanen ganze Warenlager unnötig gestohlener Gegenstände».[1] Das entspricht genau den hier geschilderten Fällen. Nur erhebt sich die Frage: Wenn es sich also hier um eine abnorme Form des Stehlens handelt, was ist dann die normale Form des Stehlens? Das läßt sich etwa folgendermaßen beantworten: Normalerweise, wenn man so sprechen darf, kommt jemand dazu, einen Diebstahl zu begehen, wenn er einen bestimmten Bedarf hat, den er auf andere Weise nicht befriedigen kann oder will. Er macht sich also einen bestimmten Plan, führt ihn aus, und wenn es ihm glückt, ist der Bedarf befriedigt und zunächst kein weiterer Anlaß zum Stehlen. Beim Kleptomanen liegt die Sache umgekehrt. Nicht von innen nach außen, sondern von außen nach innen geht der Weg. Ein bestimmter Gegenstand, der wahrgenommen wird, übt eine solche Faszination aus, daß der Betreffende nicht anders kann, als ihn an sich zu nehmen; begegnet er gleich darauf einem entsprechenden Gegenstand, nimmt er ihn auch wieder, und so kommt es zum Warenlager. Etwas Triebhaftes, Suchtartiges liegt da vor; dabei ist wichtig, daß diese Handlungen sich häufig weitgehend unter Ausschluß des Bewußtseins vollziehen. Dem scheint zu widersprechen, daß manchmal sehr raffiniert und schlau vorgegangen wird. Aber es ja ein Ergebnis der neueren Psychologie, daß das sogenannte Unterbewußte das Oberbewußtsein häufig an Schläue weit übertrifft.

Es besteht also eine gewisse «Veranlagung», die dann bei Gelegenheit in Funktion tritt. «Gelegenheit macht Diebe», sagt man. Eigentlich macht die Gelegenheit den Kleptomanen. Aber es gibt fließende Übergänge. Gerade in unserer heutigen Zivilisation liegen viele Tendenzen, die auch Menschen, welche die genannte Veranlagung nicht unbedingt haben, zu kleptomanen Handlungen veranlassen. Denken wir nur an die Ausverkaufszeit. Mancher, der heimkommt und in seiner Einkaufstasche nachsieht, muß feststellen, daß er vieles von dem Erstandenen eigentlich gar nicht brauchen kann. Aber die Gelegenheit war so günstig! Er ist zum Kleptomanen geworden, allerdings zum legalen Kleptomanen, denn er hat bezahlt. Aber das hat ja der Mann, von dem anfangs berichtet wurde, schließlich auch getan. Das ist gar nicht der entscheidende Punkt.

Ein weiteres Beispiel: Mehrere Schüler einer 4. Klasse waren den Verlockungen eines Warenhauses verfallen und hatten kleine Plastikautos und ähnliches an sich genommen. Als es herauskam, ging der Klassenlehrer mit den Sündern zum Direktor des Warenhauses. Die Schüler mußten sich entschuldigen und die Sachen zurückgeben. Nachdem die Schüler fort waren, drückte der Lehrer noch dem Direktor gegenüber seine Enttäuschung aus, daß so etwas in seiner Klasse hatte passieren können. Der Direktor lächelte nur und sagte: «Was wollen Sie denn? Das ist doch gar nicht schlimm, das ist ja alles schon einkalkuliert und für uns ein Beweis, daß wir richtig ausgestellt haben.» – Man spricht von dem «Aufforderungscharakter», den die Ware haben muß. Da haben wir es mit kleptomanogenen Tendenzen in der heutigen Zivilisation zu tun, die für Kinder besonders gefährlich sind.

Aber was liegt denn nun eigentlich bei der Kleptomanie vor? Worin liegt diese «Veranlagung», von der wir sprachen? Man kann sich in der medizinischen, psychologischen, pädagogischen, heilpädagogischen und juristischen Literatur umsehen, man findet solche exakten Beschreibungen, wie die oben angeführten, aber nirgends eine Erklärung. Höchstens werden unspezifische Hinweise auf eine vorliegende Neurose, auf Milieueinflüsse, auf Hirnschädigung usw. gegeben, die ja auch zu ganz anderen Störungen führen können. Da ist es blitzartig erleuchtend, das wahre Ei des Kolumbus, was Rudolf Steiner über die Ursache der Kleptomanie im «Heilpädagogischen Kurs» sagt. Er geht aus von der Polarität der oberen und der unteren Organisation im Menschen. Was in der oberen Organisation gut und richtig ist, ist in der unteren nicht am Platze, und umgekehrt. Wir kennen diesen Gegensatz als die Polarität von Ruhe und Bewegung, von Abbau und Aufbau, von Starrheit und Verwandlungskraft, wie sie das Verhältnis der Sinnes-Nervenorganisation zum Stoffwechselsystem auszeichnet. Jetzt wird dieser Gegensatz von einer anderen Seite geschildert: Die obere, die Hirn-Vorstellungsorganisation muß so organisiert sein, daß sie ein furchtbarer Dieb ist. Sie muß nach allen Seiten ausgreifen, Informationen sammeln, sonst ist sie krank. Sie muß den Sinn haben, sich alles anzueignen. Aber unsere untere Organisation soll im Gegenteil das Bestreben haben, an sich zu halten, nicht auszugreifen, sie muß einen Sinn entwickeln für Mein und Dein. Das Wesen der Kleptomanie beruht darauf, daß das, was für die obere Organisation richtig ist, um mehrere Stufen zu tief herunterrutscht in die Willensorganisation, und nun als die *materielle* Tendenz, sich etwas anzueignen, auftritt.

In der oberen Organisation müssen wir also den Drang haben, alles zu sehen, zu erfahren, zu erleben, zu erkennen, was uns in den Weg kommt. Wir sollen Erfahrungen sammeln; was in den Büchern steht, das sollen wir lesen, das sollen wir uns aneignen, aber – nicht die Bücher selber. Wir kommen damit auf das leidige Kapitel der ausgeliehenen Bücher. Es kommt vor, daß sich jemand ein Buch leiht, sich mit dem Inhalt verbindet, sich so stark damit verbindet, daß er schließlich das Gefühl hat, daß eigentlich das Buch ihm gehört. Und der ursprüngliche Besitzer braucht es ja auch gar nicht. So vergißt er, es zurückzugeben. Das ist so weit verbreitet, daß die meisten Menschen aktiv oder passiv in dieses Übel verflochten sind. Anatole France soll gesagt haben: «Ich leihe keine Bücher mehr aus, kein Mensch gibt sie mir zurück. Die einzigen Bücher, die noch in meinem Bücherschrank stehen, sind die, die ich von anderen ausgeliehen habe!» Bibliophile sind hochachtbare Leute, aber sie sammeln die Bücher weniger wegen ihres Inhaltes, als wegen eines bestimmten Alters, ihrer Seltenheit oder ihres Einbandes. Immer wenn die Sammeltendenz ins Materielle geht, kommen wir bereits in die Nähe der Kleptomanie. Das gilt auch für so harmlose Dinge wie Briefmarkensammeln, das Sammeln von Bilderchecks, Insekten usw. Gegen solche Interessen und Beschäftigungen ist selbstverständlich gar nichts einzuwenden. Aber wir wissen ja, was für Übergänge und Verirrungen bei leidenschaftlichen Sammlern vorkommen können, wenn der Konkurrent ein seltenes Stück besitzt, das sonst nicht zu haben ist.

Nun erwähnten wir schon die «Schmalköpfigkeit», die Einengung in der Schläfengegend, als ein charakteristisches körperliches Symptom. Was spricht sich darin aus? Wieder eine Verschiebung in dem Verhältnis zwischen der oberen und der unteren Organisation im Menschen. Goethe wird der Ausspruch zugeschrieben, daß er sich aller Untaten und schlimmen Neigungen fähig fühle mit Ausnahme des Neides. In dieser Lage sind wir aber alle, die unmoralischen Neigungen sind latent in jedem Menschen vorhanden. Sie kommen nur im gesunden Gleichgewichtszustand des Menschen nicht zum Ausdruck, weil ihnen ebensoviele Hemmungen entgegenstehen. Die schlimmen Neigungen sind bei den Trieben in der unteren

Organisation zu Hause; die Hemmungen gehen von der oberen Organisation, vom Gehirn aus. Deshalb drücken sich moralische Defekte vor allem in Deformitäten der Schädelregion aus.[2] Diese Schädeldeformitäten deuten auf entsprechende Deformationen am Gehirn. Eine vernünftige Phrenologie, ein Abtasten der Schädelform ist bei moralischen Defekten durchaus am Platze. Nur ist der Zusammenhang anders, als ihn die alte Phrenologie Gallscher Schule sich vorstellte. In den Erhöhungen und Vertiefungen der äußeren Schädelform finden wir nicht den *Sitz* der Grausamkeit, der Mordlust, des Diebssinns usw., wie Gall meinte, sondern einen Hinweis auf den Fortfall der Hemmungen, die diesen Trieben entgegenstehen. Daß Entsprechungen zwischen der Schädelform und der Form des Gehirns bestehen, ist bekannt, z. B. aus der Kriminalanthropologie. Fanconi sagt: «Dyskraniale Kinder sind häufig dysencephal».[3] Auch bei Göllnitz[4] finden sich Hinweise auf solche Entsprechungen.

Wenn also nach Rudolf Steiner eine Einengung der Schläfengegend für kleptomane Kinder charakteristisch ist – und die Erfahrung bestätigt es –, dann müssen wir annehmen, daß die Hemmung für den «Trieb, sich etwas anzueignen» im Schläfenlappen oder seiner Nachbarschaft lokalisiert ist, und daß diese hemmende Funktion durch die Einengung des Schädels beeinträchtigt wird. Möglicherweise besteht eine Beziehung zu dem in diesem Bereich gelegenen Sprachzentrum (Hinweis auf den Sprachsinn). – Wir können uns an dieser Stelle auch daran erinnern, daß die kleptomanen Handlungen bei dem ersterwähnten erwachsenen Patienten nach einer Gehirnerschütterung aufzutreten begannen.

Bei der Besprechung eines Falles von Kleptomanie[5] spricht Rudolf Steiner von einer «Verkümmerung des

Schläfenlappens». Neuerdings haben sich tierexperimentelle Befunde ergeben, die auf die Bedeutung des Schläfenlappens für die Kleptomanie mindestens hinweisen können: «Zu den auffallendsten Verhaltensstörungen, die nach doppelseitiger Entfernung bestimmter Formationen des Schläfenlappens des Gehirns vom Affen auftreten, gehört der Drang, (...) alles und jedes zu ergreifen, und es der Oralsphäre zuzuführen.»[6] Die experimentelle Beeinträchtigung des Schläfenlappens löst also den Drang aus, sich alles anzueignen, und zwar auch ganz unbrauchbare oder schädliche Dinge. Daß die Affen die ergriffenen Gegenstände in den Mund stecken («der Oralphäre zuführen»), hängt damit zusammen, daß sie keine Taschen zur Verfügung haben wie der Mensch. – Übrigens hatte schon Gall die «Begierde, sich etwas anzueignen» in der Schläfengegend lokalisiert.[7]

Tiere kennen sowieso kein Mein und Dein; sie würden verhungern, wenn sie sich nicht ständig alles nehmen würden, was sie brauchen. Wir können bei den Tieren überhaupt nicht von Moral sprechen; es gibt keinen sanftmütigen Löwen im Gegensatz zu einem blutgierigen Löwen. Man kann sagten, daß die Tiere alle – im Vergleich mit der menschlichen Schädelwölbung – einen deformierten Schädel haben.

Auch das Kleinkind ist zunächst ein amoralisches Wesen, das keinen Eigentumsbegriff kennt und sich die moralischen Urteile erst im Heranwachsen erwerben muß. Da kann es sein, daß ein Kind moralblind ist. Es entwickelt keinen Sinn dafür, die Moral aufzunehmen. Rudolf Steiner brauchte direkt den Vergleich mit der Farbenblindheit. Bei Farbenblinden ist der Sehsinn gestört. Wo aber ist der «Moralsinn» zu finden? Da Rudolf Steiner davon spricht, daß das Kind mit dem Sprechenlernen die moralischen Impulse aufnähme, können wir annehmen, daß er im Bereich des Sprachsinns und der benachbarten Sinne – Denksinn und Ichsinn – beheimatet ist.

Mit dem bisher Gesagten haben wir ein einigermaßen vollständiges Bild der Kleptomanie. Der grundlegende Vorgang ist der, daß eine Tendenz, die in den Bereich der Vorstellungsorganisation gehört, in die Willenssphäre abgesunken ist. Dadurch ist so etwas wie ein zusätzlicher Trieb entstanden. Weiterhin ist eine hemmende Funktion der oberen Organisation geschwächt (Schmalköpfigkeit). Und schließlich besteht eine Unfähigkeit zum Wahrnehmen moralischer Urteile (Moralblindheit).

Aus diesem Bilde folgt, was zu tun ist. Die richtige Diagnose ergibt die Therapie. Aber bevor man zu gezielten Maßnahmen übergeht, ist eines unerläßlich, das für jeden erzieherischen Umgang mit Kindern, insbesondere mit pathologischen Kindern, gilt. Rudolf Steiner drückt es so aus:[8] «Dasjenige Erziehungsmittel, das am wirksamsten ist, ist die Zutraulichkeit, die das betreffende Kind haben kann zu dem, der sein Erzieher ist. Darauf ist man bei diesen Kindern ganz besonders angewiesen. Es ist durchaus notwendig, daß das als eine Voraussetzung gemacht wird.» In seiner Autobiographie «Mein Lebensgang»[9] sagt er von dem hydrocephalen Kind, das er erzogen hat: «Ich konnte das Kind bald zu einer liebevollen Anhänglichkeit an mich bringen. Das bewirkte, daß der bloße Verkehr mit demselben die schlummernden Seelenfähigkeiten zum Erwachen brachte.» Heutzutage spricht man von dem «Kontakt», der zwischen Erzieher und Kind erforderlich sei. Aber solche einfachen Worte wie «Zutraulichkeit», «liebevolle Anhänglichkeit» bezeichnen besser das, um was es sich da handelt, als das technische Assoziationen erweckende Wort «Kontakt».

Die erste und wichtigste Maßnahme, die direkt auf die Behandlung der Kleptomanie geht, besteht in dem Erzählen von «Moralischen Geschichten». «Mit innerer Lebendigkeit erfindet man Geschichten, wodurch dasjenige, was das Kind tut, im Leben ad absurdum geführt wird. Man erzählt ihm einen Fall von Stehlen und macht das wiederum und immer widerum (...). Man erzählt, es gibt Menschen, die tun so etwas, aber sie graben sich eine Grube und fallen hinein. Diesen dramatischen Vorgang mit innerem Enthusiasmus entwickeln, das ist etwas, was schon zum Ziele führen kann, wenn man nicht dabei erlahmt. – Da wirkt man auf dem Wege des Heilpädagogischen, das im Moralischen stehenbleiben kann, wenn man wirklich ganz dabei ist, wenn man sich ganz individuell interessiert, wie die Dinge gemacht werden. Jeder Kleptomane ist außerordentlich interessant. Es sind ihm bis in die Zehenspitzen, bis in die Fingerspitzen die Vorstellungseigenschaften hineingerutscht. Das muß man natürlich wissen, wenn man ihn erziehen will, man muß in die Erzählungen Gesten hereinflechten, die der Kleptomane gerne macht.»[10] Man kann sich vorstellen, wie so etwas bei ständiger Wiederholung wirkt. Es wird dem Kleptomanen sein eigenes Verhalten im Bilde vorgeführt und dadurch wieder in das Bewußtseins gehoben, was in den Bereich des Unterbewußten abgesunken war. Ein solches mit großer Intensität erlebtes Bild wirkt viel stärker auf das Kind als die direkte Ermahnung, die dann später schon am Platze ist. Es kommt darauf an, daß die Geschichten von dem Erzieher selbst erfunden werden. Erstens wirken erfundene Geschichten immer besser und lebendiger als wiedererzählte oder gar vorgelesene –

auch wenn sie, objektiv gesehen, schlechter sind –, weil sich der Erzähler durch das Erfinden persönlich mit der Geschichte verbunden hat. Zweitens bewegt er sich in «Erfinden, Finden, Auffinden» in einem dem Kleptomanen verwandten Elemente, der ja durch das «Finden, Auffinden» von Gegenständen frappiert wird. – Auch Sprach-, Denk- und Ichsinn werden durch das Anhören solcher Geschichten geübt.

In anderen Maßnahmen, die Rudolf Steiner angegeben hat, liegt ebenfalls die Tendenz des Rückläufigmachens, des Wieder-Heraufholens dessen, was dem Bewußtsein entfallen ist. Man soll die Kinder etwas erinnern lassen, was sie in früheren Jahren erlebt haben. Sie sollen sich Begebenheiten vorstellen, die Jahre zurückliegen. Man sieht, wie das «Entfallene» wieder heraufgeholt wird. Einem jugendlichen Kleptomanen wurde der Rat gegeben, ein Tagebuch zu führen. Dadurch werden die Tageserlebnisse stärker ins Bewußtsein gehoben. Das kann man auch erwachsenen Kleptomanen anraten, die unter ihrem Zustand besonders leiden. – Weiterhin Sprachübungen hin und zurück:

«Der Vater liest in dem Buch» –
«Buch dem in liest Vater der»;

immer die Tendenz des Rückläufigmachens. Auch kann man Zahlen hin und zurück sagen lassen: 3 4 2 6 – – 6 2 4 3; oder die Härteskala usw. hin und zurück.

Eine weitere Maßnahme wäre ohne das hier entwickelte Bild der Kleptomanie rätselhaft und unverständlich: Man soll das Kind eine Viertelstunde sitzen lassen und die eigenen Füße in die Hand nehmen lassen als Strafe. Das machen die Kinder sehr ungern und empfinden es wirklich als Strafe. Durch diese Maßnahme wird einmal die Hemmung dessen bewirkt, was in den

Gliedmaßen ausfahren möchte. Hände und Füße fesseln sich gegenseitig; das Kind wird ganz zu einer in sich zusammengeschlossenen Einheit, zum «Kopf», von dem ja die hemmenden Impulse ausgehen. Zum anderen aber muß sich das Kind dabei seiner Gliedmaßen bewußt werden, deren Tätigkeit es sonst nicht mit genügend Bewußtsein begleitet. Wieder wird ein Entfallenes in das Bewußtsein zurückgeleitet. – Auf derselben Linie liegt, was Rudolf Steiner für einen 16jährigen Kleptomanen angegeben hat: er solle Stiefel machen lernen und dazu angeregt werden, kleine technische Erfindungen zu machen, z. B. wie eine Eisenbahntür so eingerichtet werden könnte, daß sie sich beim Besteigen des Trittes selbsttätig öffnet.[11] Auch hier wieder wird die bewußte vorstellende Tätigkeit auf die Gliedmaßen gelenkt, in deren Bereich beim Kleptomanen ein Stück «vorstellender» Tätigkeit ins Unterbewußte abgesunken ist. Die unbewußten Wunschgedanken, die sich der Gliedmaßen bedienen möchten, werden in das Bewußtsein zurückgeholt.

Mit diesen Maßnahmen, unterstützt durch medizinische und heileurythmische Therapie, kann selbst eine solche Neigung wie die Kleptomanie, die so tief eingewurzelt ist, daß sie zu körperlichen Deformationen führt, mit Erfolg behandelt werden, besonders dann, wenn man mit der Behandlung schon im frühen Kindesalter beginnt. Man sollte die Kleptomanie prophylaktisch bereits behandeln, ehe sie in ihrer eigentlichen Form ausbricht; denn sie tritt zunächst in maskierter Form auf. Bei ganz kleinen Kindern zeigt sich im Alter des Sprechenlernens die Anlage zur Kleptomanie darin, daß sie eine gewisse Wollust empfinden bei jedem neuen Wort, das sie lernen. «Kinder, die später kleptomane Menschen werden, die entwickeln den Egoismus im zarten Kindesalter z. B. in der Art, daß sie mit der Zunge schnalzen, wenn sie sich ein neues Wort angeeignet haben.»[12] Gewöhnlich erlebt das Kind das Sprechenlernen als einen objektiv-selbstverständlichen Vorgang; aber hier erlebt es diesen Vorgang als einen auf sich persönlich bezogenen. Die Sucht, sich etwas anzueignen, tritt in einer noch relativ unschuldigen Sphäre auf, aber doch in einer Sphäre – der der Sprache –, die schon eine Stufe unter der der Gedanken liegt. In dieser Weise maskiert sich die Kleptomanie in der ersten Lebensepoche, im ersten Jahrsiebent. Nach dem Zahnwechsel tritt die maskierte Neigung zur Kleptomanie in einer diesem Alter sonst fremden Eitelkeit hervor. Das Kind entwickelt eine Gier, sich besonders zu kleiden. Die zweite Lebensepoche steht unter dem Motto: Die Welt ist schön. Beim kleptomanen Kinde verkehrt sich das in das Motto: *Ich* will schön sein. Wiederum bezieht das Kind einen objektiven Weltvorgang auf sich persönlich. Die verkappte kleptomane Tendenz ist jetzt bis in die Gefühlssphäre abgesunken. Im weiteren können noch harmlose Sammeltriebe auftreten, bis dann in der eigentlichen Kleptomanie die Tendenz, sich etwas anzueignen, endgültig in die Willensphäre abrutscht.

Nun kann es aber Gründe geben, daß die Kleptomanie sich auch später weiterhin maskiert und trotz vorhandener Neigung das ganze Leben lang nicht als solche in Erscheinung tritt. Was Rudolf Steiner darüber im «Heilpädagogischen Kurs» sagt, führt in weite Lebenszusammenhänge schicksalsmäßiger und soziologischer Natur. Er schildert, wie ein Kind in einer Umgebung aufwachsen kann, in der die Menschen gewohnt sind, ungezwungen zu leben, sich gehen zu lassen, in der man das Militär als ein zwar notwendiges, aber lästiges Übel ansieht. Wenn ein zur Kleptomanie veranlagtes Kind in einer solchen Stimmung des «laissez-faire, laissez-aller» aufwächst, dann wird es ein Kleptomane.

Wächst aber dieses Kind in einer Gegend auf, in der eine Art Preußentum herrscht, in der nicht nur das Militär als solches, sondern auch eine straffe militärische Lebenshaltung ganz allgemein geschätzt wird, dann entwickelt sich unter dem Einfluß dieser straffen Lebenshaltung die Kleptomanie nicht. Das Kind wird vielleicht aufs Gymnasium geschickt, später auf die Hochschule. Es lebt seine kleptomane Anlage darin aus, daß es Naturforscher wird, nach allen Seiten ausgreift, um Präparate unter das Mikroskop zu bringen. Das betreffende Kind wird als Erwachsener der berühmteste Physiologe seines Zeitalters. Es wird ein großer Rhetor, und es bleibt ihm in seinen Reden der eigentümliche kleptomane Zug einer gewissen Kriegsbegeisterung. Er gebraucht in seinen Reden gerne militärische Bilder. Auch eine gewisse Eitelkeit tritt zutage, die sich z. B. darin äußert, daß eine besonders elegante Redefigur durch ein Schnalzen mit der Zunge abgeschlossen wird. – Obgleich diese detaillierte Schilderung ja deutlich auf eine bestimmte Persönlichkeit zielt, wird der Name des Betreffenden nicht genannt. Vielleicht, weil Rudolf Steiner gerade bei Behandlung der Kleptomanie auf die Findigkeit seiner Zuhörer rechnete. Für jeden aber, der das weitverbreitete Erinnungsbuch von Carl Ludwig Schleich[13] «Besonnte Vergangenheit» gelesen hat, ist es klar, daß es sich hier um den berühmtem Physiologen Emil Du Bois-Reymond handelt. Es ist nun eigentümlich, daß sich im persönlichen Schicksal und auch im Familienschicksal Emil Du Bois-Reymonds alle die hier hypothetisch geschilderten Dinge wiederfinden. Sein Vater war ein Uhrmacher aus

St. Sulpice im Kanton Neuenburg, der damals noch preußisch war. Wäre der Sohn hier geboren worden, so wäre er nach Rudolf Steiners Ausführungen ein Kleptomane geworden. Aber der Vater war 1804 völlig mittellos nach Berlin zugewandert, machte dort einen amerikanisch anmutenden Aufstieg durch und verwaltete zuletzt als Geheimer Rat die Angelegenheiten des Kantons Neuenburg im Ministerium. Der Sohn wurde am 7. November 1818 geboren, wuchs französischsprechend auf, besuchte das französische Gymnasium in Berlin und wurde ein glühender preußischer Patriot, der später die Professoren der Universität Berlin als die wissenschaftliche Leibgarde der Hohenzollern bezeichnete. Soweit mir Biographien zugänglich waren, war nie etwas darüber in Erfahrung zu bringen, ob einmal im Kindesalter etwas von einer eigentlichen Kleptomanie sichtbar geworden ist. Merkwürdigerweise fangen alle Biographien mit dem Besuch der Universität an. Es ist, als ob er als Student geboren wäre. Interessant sind die Briefe, die er auf einer Studienreise geschrieben hat. Da berichtet er z. B. wie er bei einem kurzen Reiseaufenthalt gleich 80 Pflanzen gesammelt und klassifiziert hat. Auf dieser Reise hat er auch Weimar besucht. Eckermann lebte noch und führte ihm die Goetheschen Versuche zur Farbenlehre vor. Du Bois macht sich aber in seinem Bericht über Eckermann und die Goethesche Farbenlehre lustig. Er hielt zeit seines Lebens nicht viel von Goethe. Eine seiner berühmten Reden hieß: «Goethe und kein Ende.» Darin sagt er, daß Goethe zwar den Zwischenkiefer entdeckt und die Metamorphose der Pflanzen und die Wirbeltheorie des Schädels entwickelt habe, daß aber die Wissenschaft früher oder später diese Entdeckungen auch ohne Goethe gefunden haben würde. «Auch ohne

Goethes Beteiligung wäre die Wissenschaft so weit wie sie heute ist.» Faust sei kein nachahmenswertes Beispiel eines Hochschulprofessors. Statt an den Hof zu gehen, ungedecktes Papiergeld auszugeben, und zu den Müttern in die vierten Dimension zu steigen, hätte er besser getan, Gretchen zu heiraten, ihr Kind ehelich zu machen und mit anständigen wissenschaftlichen Leistungen, wie etwa der Erfindung der Elektrisiermaschine oder der Luftpumpe, aufzuwarten.

Ein Beispiel für den eleganten Redestil Du Bois-Reymonds bietet die berühmte Rede «Über die Grenzen des Naturerkennens» vom 14. August 1872, auf die Rudolf Steiner sich oft bezogen hat. Diese Rede beginnt folgendermaßen: «Wie es einen Welteroberer der alten Zeit an einem Rasttag inmitten seiner Siegeszüge verlangen konnte, die Grenzen seiner Herrschaft genauer festgestellt zu sehen, um hier noch ein zinsfreies Volk zum Tribut heranzuziehen, dort in der Wasserwüste ein seinen Reiterscharen unüberwindliches Hindernis, und somit eine wirkliche Schranke seiner Macht zu erkennen: so wird es für die Weltbesiegerin unserer Tage, die Naturwissenschaft, kein unangemessenes Beginnen sein, wenn sie bei festlicher Gelegenheit von der Arbeit ruhend die wahren Grenzen ihres Reichs einmal klar sich vorzuzeichnen versucht.» – Man sieht, wie die Eroberungslust, die Tendenz sich etwas anzueignen, in militärisch-aggressiven Bildern zum Ausdruck kommt.

Bei dem hier als Beispiel angeführten berühmten Physiologen kommt die Kleptomanie nicht heraus, sondern bildet in einer gewissen Weise die Grundlage für Fähigkeiten, die ihn berühmt gemacht haben. Aber von einer eigentlichen Heilung kann man nicht sprechen. Rudolf Steiner beschreibt auch eine geheilte Kleptomanie, wiederum am Beispiel einer historischen Persönlichkeit. Er schildert im «Heilpädagogischen Kurs», wie ein bekannter deutscher Dichter einmal seinen Schädel von einem Phrenologen abtasten ließ. Als dieser bei seiner Untersuchung an eine bestimmte Stelle des Schädels kam, wurde er plötzlich leichenblaß und getraute sich nicht weiterzureden. Da lachte der Dichter und sagte: Ich merke schon, daß Sie den Diebssinn bei mir entdeckt haben, den habe ich stark gehabt. «Er hatte entdeckt, daß der Betreffende ein Kleptomane hätte werden können. Nun hatte er die Kleptomanie in Dichtung umgewandelt.» – Wer war dieser deutsche Dichter? Vielfach ist vermutet worden, daß es sich um Goethe handle. Goethe hat sich auch tatsächlich einmal von Doktor Gall phrenologisieren lassen. Aber Gall hat bei ihm etwas ganz anderes festgestellt, nämlich, daß Goethe eigentlich zum Volksredner geboren sei. Mit dieser Charakteristik war Goethe ganz zufrieden. Wenn man sich an die Stelle aus seiner «Italienischen Reise» erinnert, wie auf der Rückfahrt von Sizilien die gesamte Schiffsbesatzung von einer Panik ergriffen wird und er sie durch seine Ansprache wieder zur Besinnung bringt, so kann man sehen, daß er wirklich volksrednerische Fähigkeiten gehabt hat.

Die von Rudolf Steiner geschilderte Episode findet sich in der Biographie Johann Peter Hebels, aber nur in den älteren Biographien. In den neueren kommt sie nicht mehr vor; entweder hält man sie für unwichtig oder für ehrenrührig. In dem Abschnitt «J. P. Hebels Leben» in der dreibändigen Ausgabe von Hebels Werken aus dem Jahre 1847[14] findet sich folgende Stelle: «Noch vor seiner letzten Reise nach Mannheim vertraute er einem seiner Freunde an, daß Dr. Gall hinter seine angeborene böse Neigung gekommen sei. Als nämlich der berühmte

Phrenologe in Karlsruhe verweilte, wo er Vorlesungen wie anderwärts hielt, und Hebel unter seine Adepten zählte, war er in einem engeren Kreise ersucht worden, die Schädel der Anwesenden zu prüfen. ‹Ungemein stark ausgebildet› – oder ähnliche Worte habe er mit dem Ausdruck der Verwunderung und sichtbarer Verlegenheit gemurmelt, nachdem er eine gewisse Stelle an Hebels Kopf gefühlt habe, dann aber schweigend sich weiter gewendet. Dringend gebeten mitzuteilen, was er so stark ausgebildet gefunden, sei er hierzu nicht zu bewegen gewesen, bis Hebel ausgerufen habe: Sie meinen gewiß das Diebesorgan! Er habe nun mit gutem Gewissen Herrn Gall die tröstliche Versicherung erteilen können, daß die neue Lehre an dem kirchenrätlichen Haupte keine Niederlage erlitten; versteht sich, soweit diese Lehre die Willensfreiheit nicht aufheben soll.» Im weiteren schildert dann Hebel, daß er in seinen Kinderjahren eine ungemein starke Neigung gehabt habe, sich bestimmte Dinge anzueignen, daß es aber seiner treuen frommen Mutter mit Gotts Hilfe gelungen sei, diesen schlimmen Hang zu unterdrücken. – Aber es blieb dann doch ein Nachklang dieser Neigung. Noch auf dem Höhepunkt seiner theologischen Laufbahn – er wurde Prälat und Kirchenrat und trat an die Spitze der badischen Landeskirche – vertrieb er sich nach eigenem Bericht schlaflose Nächte damit, sich allerhand Gaunerstreiche auszudenken.

Wir verstehen nun noch von einer ganz anderen Seite die Vorliebe Hebels für die Schilderung von Spitzbubenstückchen, die Geschichten vom Heiner und vom Zundelfrieder, vom roten Dieter usw. Aber wenn man auch diesen Gaunergeschichten anmerkt, daß sie mit Genuß geschrieben sind, so haben sie doch alle einen echten moralischen Schluß. Manche dieser Erzählungen sind geradezu Musterbeispiele für solche moralischen Geschichten, wie Rudolf Steiner sie den Kleptomanen erzählt haben wollte. Das gilt namentlich für die herrliche Geschichte vom «Silbernen Löffel», die deshalb hier eingefügt werden soll:

«In Wien dachte ein Offizier: ‹Ich will doch auch einmal im Roten Ochsen zu Mittag essen›, und geht in den Roten Ochsen. Da waren bekannte und unbekannte Menschen, Vornehme und Mittelmäßige, ehrliche Leute und Spitzbuben, wie überall. Man aß und trank, der eine viel, der andere wenig. Man sprach und disputierte von dem und jenem, zum Exempel von dem Steinregen bei Stannern in Mähren, von dem Machin in Frankreich, der mit dem großen Wolf gekämpft hat. Das sind dem geneigten Leser bekannte Sachen, denn er erfährt alles ein Jahr früher als andere Leute (durch den Rheinischen Hausfreund). – Als nun das Essen fast vorbei war, einer und der andere trank noch eine halbe Maß Ungarwein zum Zuspitzen, ein anderer drehte Kügelein aus weichem Brot, als wenn er ein Apotheker wäre und wollte Pillen machen, ein Dritter spielte mit dem Messer oder mit der Gabel oder mit einem silbernen Löffel; da sah der Offizier von ungefähr zu, wie einer, in einem grünen Rocke, mit dem silbernen Löffel spielte, und wie ihm der Löffel auf einmal in den Rockärmel hineinschlüpfte und nicht wieder herauskam.

Ein anderer hätte gedacht: ‹Was geht's mich an?› und wäre still dazu gewesen oder hätte großen Lärm angefangen. Der Offizier dachte: ‹Ich weiß nicht, wer der grüne Löffelschütz ist und was er für einen Verdruß geben kann›, und war mausstill, bis der Wirt kam und das Geld einzog. Als der Wirt kam und das Geld einzog, nahm der Offizier auch einen silbernen Löffel und steckte ihn zwischen zwei Knopflöcher im Rocke, zu einem hinein, zum anderen hinaus, wie es manchmal die Soldaten im Kriege machen, wenn sie den Löffel mitbringen, aber keine Suppe. – Währenddessen der Offizier seine Zeche bezahlte, und der Wirt schaute ihm auf den Rock, dachte er: ‹Das ist ein kurioser Verdienstorden, den der Herr da anhängen hat. Der muß sich im Kampfe mit einer Krebssuppe hervorgetan haben, daß er zum Ehrenzeichen einen silbernen Löffel bekommen hat, oder ist's gar einer von meinen eigenen?› Als aber der Offizier dem Wirt die Zeche bezahlt hatte, sagte er mit ernsthafter Miene: ‹Und der Löffel geht ja drein. Nicht wahr? Die Zeche ist teuer genug dazu.› Der Wirt sagte: ‹So etwas ist mir noch nicht vorgekommen. Wenn Ihr keinen Löffel daheim habt, so will ich Euch einen Patent-Löffel schenken, aber meinen silbernen laßt mir da.› Da stand der Offizier auf, klopfte dem Wirt auf die Achsel und lächelte: ‹Wir haben nur Spaß gemacht›, sagte er, ‹ich und der Herr dort in dem grünen Rocke. Gebt Ihr Euren Löffel wieder aus dem Ärmel heraus, grüner Herr, so will ich meinen auch wieder hergeben.› Als der Löffelschütz merkte, daß er verraten sei, und *daß ein ehrliches Auge auf seine unehrliche Hand gesehen hatte,* dachte er: ‹Lieber Spaß als Ernst› und gab seinen Löffel ebenfalls her. Also kam der Wirt wieder zu seinem Eigentum, und der Löffeldieb lachte auch – aber nicht lange. Denn als die anderen Gäste das sahen, jagten sie den verratenen Dieb mit Schimpf und Schande und ein paar Tritten unter der Türe zum Tempel hinaus, und der Wirt schickte ihm den Hausknecht mit einer Handvoll ungebrannter Asche nach. Den wackern Offizier aber bewirtete er noch mit einer Bouteille voll Ungarwein auf das Wohlsein aller ehrlichen Leute.

Merke: Man muß keine silbernen Löffel stehlen.

Merke: Das Recht findet seinen Knecht.»

In dem Satze «daß ein ehrliches Auge auf seine unehrliche Hand gesehen hatte» ist das ganze Geheimnis der Kleptomanie enthalten: Was im Auge (im oberen Menschen) «ehrlich», das heißt am Platze ist, wird in der Hand (in den Gliedmaßen) «unehrlich», das heißt es führt zu unrechtmäßigen Handlungen. Sehr anschaulich ist es, wie der Löffel im Dunkel des Rockärmels, das heißt im Unterbewußtsein, verschwindet, und wie dieser Vorgang dadurch wieder rückläufig gemacht wird, daß der Gegenspieler den Löffel auffallend sichtbar an seinen Rock steckt. Wenn erzählt wird, «wie einer in einem grünen Rocke mit dem silbernen Löffel spielte, und wie ihm der Löffel auf einmal in den Rockärmel hineinschlüpfte und nicht wieder herauskam», ist Gelegenheit, die entsprechende Geste in möglichst eindrucksvollster

Weise mit der Hand zu vollziehen. – Im übrigen spricht die Geschichte in ihrem ausgesprochenen und in ihrem verhaltenen Humor, der auch die deutliche Moral («Merke») erträglich macht, für sich selbst. Die Neigung des alemannischen Stammes zu volkspädagogischer Belehrung, die z. B. bei Pestalozzi oder Jeremias Gotthelf so deutlich hervortritt, ist bei Hebel durch den Humor noch liebenswürdiger und wirksamer geworden.

Rudolf Steiner sagt nun von diesem Dichter, er habe die Kleptomanie umgewandelt in Dichtkunst. Er hat sie nicht nur bekämpft und vertrieben, er hat sie *umgewandelt.* Wie ist das zu verstehen? Hebel war auch ein großer Sammler. Die Geschichten, die dann im «Schatzkästlein» (auch ein bezeichnender Name!) gesammelt herauskamen, sind ursprünglich Kalendergeschichten. Dieser Kalender, der «Rheinische Hausfreund», mußte der Leserschaft der damaligen Zeit, namentlich den Bauern, vielfach die Zeitung ersetzen und brachte immer das Neueste aus aller Welt. Da wurden geschildert der furchtbare Kampf eines Menschen mit einem Wolfe in einem französischen Dorf, das Bombardement von Kopenhagen, die Stärke der französischen Armee, der neue Komet, etwas über Eidechsen und Schlangen, die Kunst, rote Tinte zu verfertigen – und vor allem eben die wunderbaren Anekdoten. Diese Geschichten hat er meist nicht selbst erfunden, sondern von überall her gesammelt. Wenn man Gelegenheit hat, in einer Hebel-Ausgabe immer die ursprüngliche Geschichte und die Hebelsche Fassung zu vergleichen, so ist das eine eben ein Zeitungsbericht, das andere aber eine künstlerisch-humorvolle Erzählung. Woher hatte Hebel diese verwandelnden Kräfte, die in seiner Dichtkunst zum Vorschein kommen? Wir haben gesehen, wie die Heilung der Kleptomanie darauf beruht, daß die in den Stoffwechsel-Willenspol abgesunkenen Kräfte wieder heraufgehoben werden in die Vorstellungsorganisation. Was gefallen war, wird wieder gehoben. Auf dem Rückweg wird aber etwas von den umwandelnden Kräften, die organisch im Stoffwechsel und seelisch im Willen vorhanden sind, mit heraufgenommen. Das tritt dann als schöpferische Fähigkeit im oberen Menschen auf. Der geheilte Kleptomane hat die Möglichkeit, nicht nur wieder ein normaler Bürger zu werden, sondern darüber hinaus durch die Umwandlung seines Fehlers sich eine neue Fähigkeit zu erwerben. Man sieht da gewissermaßen hinein in die Werkstatt des Schicksals, wie es gemacht wird, daß so eine geniale Fähigkeit sich entwickelt. Darum ist im Himmel auch mehr Freude über einen Sünder, der Buße tut, als über 99 Gerechte. Nicht aus Sentimentalität; auch nicht aus dem subjektiven Grunde, weil man sich um den Sünder soviel mehr Mühe hat geben müssen, bis er dann endlich doch noch auf den rechten Weg kam; sondern aus dem ganz objektiven Grunde, weil der geheilte Sünder sich etwas erwerben kann, was der nur «gerecht» Gebliebene nicht hat.

In dem Falle des berühmten Physiologen kam die Kleptomanie nicht heraus, sie wurde durch die Lebensumstände von außen aufgehalten. Der Vorgang blieb sozusagen auf der alttestamentlichen Stufe stehen: du sollst nicht stehlen. Aber die Eroberungssucht, die Tendenz, sich etwas anzueignen, blieb, wenn auch in sublimierter Form. – Bei Hebel sind wir eine Stufe weiter. Bei ihm kann man sagen: Geben ist seliger denn nehmen. Die Richtung hat sich umgekehrt. Die Tendenz, etwas an sich zu ziehen, hat sich verwandelt in die Fähigkeit, der Menschheit etwas zu geben, eben diese köstlichen Geschichten und die anderen Gaben seiner Dichtkunst.

Es kann und soll nicht jeder geheilte Kleptomane zum Dichter werden, selbstverständlich. Aber es kann in jedem Fall der geheilte Fehler, die geheilte Schwäche sich in eine positive Fähigkeit verwandeln. Was wurde denn aus dem Jungen, der im Heilpädagogischen Kurs geschildert wird? Von ihm wird berichtet, daß er die kleptomane Neigung ganz überwunden habe und später ein tüchtiger und verantwortungsvoller Lehrer geworden sei. Man kann sich vorstellen, daß für einen Pädagogen ein bißchen umgewandelte Kleptomanie, die dann als Erzähltalent, als Findigkeit zum Vorschein kommt, etwas Günstiges ist.

Eine Übersicht über die Zusammenhänge, in denen die Kleptomanie steht, führt nicht nur zu Maßnahmen, die diesen Fehler ausheilen können, sondern auch dazu, einen positiven Sinn in einem solchen Geschehen zu sehen, das zunächst zu einem moralischen Sturz führt. Das menschliche Urthema – Fall und Wiedererhebung – erscheint hier in einer bestimmten Abwandlung.

Anmerkungen

1 F. Meiners, Heilpädagogik, Heilbrunn 1962.
2 R. Steiner, Heilpädagogischer Kurs (1924), Dornach 1985 (GA 317).
3 Fanconi/Wallgren, Lehrbuch der Pädiatrie, Basel 1950.
4 G. Göllnitz, Die Bedeutung der frühkindlichen Hirnschädigung für die Kinderpsychiatrie, Leipzig 1954.
5 H. Walter, Abnormitäten der geistig-seelischen Entwicklung. Arlesheim/Dornach 1955.
6 H. Klüver, Brain mechanisms and behavior with special reference so the Rhinencephalon, The Journal-Lancet 72, 567–577, Minneapolis 1952. Zitiert nach W. Bargmann, Universitas Juli 1966.
7 Gall, Kampfblatt für die Kraniologie, England 1818. In: A. Mühr, Das Wunder Menschenhirn, Olten 1957.
8 R. Steiner, a. a. O.
9 R. Steiner, Mein Lebensgang, Dornach 1982 (GA 28).
10 R. Steiner, Heilpädagogischer Kurs, s. Anm. 2.
11 Ebenda.
12 Ebenda.
13 C. L. Schleich, Besonnte Vergangenheit, Berlin 1930.
14 J. P. Hebels Werke in 3 Bänden, Karlsruhe 1847.

Auf dem Wege zum hygienischen Okkultismus

Der außerordentliche Wandel der Medizin im Laufe des zwanzigsten Jahrhunderts bezieht sich nicht nur auf das Auftreten und Verschwinden von Krankheiten, sondern auch auf die Krankheitsauffassung, auf die diagnostischen Möglichkeiten und vor allem auf die Arten und Formen der Heilung.

Das Erlebnis dieses ständig weitergehenden Wandels, der auch in Zukunft nicht Halt machen wird, hat das Bedürfnis hervorgerufen, etwas vorauszuwissen von dem, was kommen wird. Man sucht eine Orientierung in der ständigen Veränderung. So wird auch in der Medizin, wie auf anderen Gebieten, eine Futurologie angestrebt, eine Wissenschaft von der Zukunft. Man berechnet, wie bereits sichtbar gewordene Tendenzen sich weiter steigern werden und welche Konsequenzen das für die Zukunft hat. Aber trotz aller Expertenbefragungen und des Einsatzes modernster Voraussagetechniken ist man sich darüber klar, wie unsicher eine solche Futurologie bleibt. Die Zukunft ist eben nicht nur eine Verlängerung von Vergangenheit und Gegenwart in kommende Zeiten hinein. Sie hängt nicht nur von den bereits vorhandenen Tendenzen ab, sondern zum Beispiel auch davon, wie sich die Menschen zu solchen Tendenzen verhalten werden, ob sie diese annehmen oder ablehnen – und auch noch von ganz anderen Faktoren. Es muß gar nicht so sein, daß die Entwicklung immer in der gleichen Richtung weitergeht: zum Beispiel immer noch stärkere Medikamente mit immer noch mehr Nebenwirkungen. Es könnte sein, daß ein neuer Einschlag aus einer ganz anderen Richtung kommt und die weitere Entwicklung bestimmt.

Die Vergangenheit liegt klar vor unseren Augen, die Gegenwart kann man mehr oder weniger genau beobachten, aber die Zukunft sieht man nicht, denn sie ist noch nicht da, so sagt man. Für eine spirituelle Weltauffassung trifft diese Aussage nicht zu. Für Geistesanlagen ist manches von dem auf uns Zukommenden doch schon in gewisser Weise vorhanden, und zwar in einem noch nicht realisierten Vorzustand. Das ist der Grund, warum Rudolf Steiner bestimmte Angaben über die Zukunft auch in der Medizin machen konnte.

So sagt er: «Lassen Sie nur die Medizin sich so materialistisch weiterentwickeln: wenn Sie vierzig Jahre voraussehen könnten, Sie würden erschrecken, in welch brutaler Weise diese Medizin vorgehen wird, bis zu welchen Formen des Todes die Menschen von dieser Medizin da kuriert würden.»[1]

Das war 1909. Die Zukunft, auf die hier vorausgesehen wird, ist inzwischen voll eingetreten, sie ist Gegenwart, ja eigentlich schon weitgehend Vergangenheit geworden. Man kann sich fragen, was gemeint ist mit der Formulierung «bis zu welchen Formen des Todes die Menschen da kuriert würden»? Ist gemeint, daß fast schon Gestorbene in das Leben zurückgerufen werden? Oder ist gemeint, daß dieses Kurieren auch Todesfälle zur Folge haben kann? Beides ist ja der Fall.

In den Vorträgen der Kriegsjahre 1916, 1917, 1918 hat Rudolf Steiner über eine zeitlich nicht so genau präzisierte und ganz andere Zukunft der Medizin gesprochen. Am 24. Dezember 1916 sagt er: «Aber es wird eine Zeit kommen, und wohl ist sie nicht mehr ferne, wo das Menschheitskarma soweit sein wird, daß die Medizin, die Heilkunst, aufnehmen wird die Impulse, die aus der geistigen Erkenntnis kommen.»[2] Rudolf Steiner spricht von einer künftigen hygienisch-okkulten Fähigkeit, die sich entwickeln wird, und sagt darüber in einem Vortrag vom 1. Dezember 1918: *«Diese hygienische okkulte Fähigkeit ist auf dem guten Wege und wird verhältnismäßig nicht lange auf sich warten lassen. Diese Fähigkeit wird einfach durch die Einsicht reifen, daß das menschliche Leben, indem es von der Geburt bis zum Tode verläuft, nach einem Prozeß verläuft, der ganz identisch ist mit einem Krankheitsprozeß. Krankheitsprozesse sind nämlich nur spezielle und radikale Umbildungen des ganz gewöhnlichen, normalen Lebensprozesses, der zwischen Geburt und Tod verläuft, nur daß wir in uns nicht nur die krankmachenden Kräfte tragen, sondern auch die gesundmachenden Kräfte. Und diese gesundmachenden Kräfte, das weiß jeder Okkultist, sind ganz genau dieselben wie diejenigen, welche man dann anwendet, wenn man sich okkulte Fähigkeiten erwirbt, indem man diese Kräfte in Erkenntnisse umwandelt. Die dem menschlichen Organismus innewohnende Heilkraft in Erkenntnis umgewandelt gibt eben okkulte Erkenntnisse.»*[3]

Diese Ausführungen Rudolf Steiners eröffnen weite Ausblicke. Es ist die umstürzende Feststellung darin enthalten, daß eine bestimmte Einsicht – die Einsicht in den Zusammenhang von Krankheit und Lebenslauf – eine bestimmte Fähigkeit zur Reife bringen kann – eine gesundmachende (hygienische) Fähigkeit. Einsicht verwandelt sich in Heilkraft, Erkenntnis in Kraft. Die hier gemeinte Einsicht wird in zwei polaren Gegenüberstellungen ausgesprochen: Der Lebenslauf ist eine verlangsamte Krankheit, die Krankheit ist ein verdichteter Lebenslauf. Zwei weitere Gegenüberstellungen schließen sich an. Nicht nur kann Erkenntnis sich in Heilkraft verwandeln, sondern auch Heilkraft in Erkenntnis. Der Mensch trägt in sich nicht nur krankmachende Kräfte, sondern auch gesundmachende Kräfte.

Alle diese Erkenntnisse entstammen der okkulten Forschung Rudolf Steiners. Sie werfen große Fragen auf, sind aber, da in begriffliche Form gebracht, dem heutigen Tagesbewußtsein durchaus zugänglich. Allerdings ist zum vollen Verständnis die Kenntnis einiger anthroposophischer Grundbegriffe erforderlich, insbesondere die der viergliedrigen Menschenwesenheit: Die physische Leiblichkeit des Menschen wird belebt durch den Ätherleib, beseelt durch den Astralleib und hat ihr geistiges Zentrum im «Ich».[4]

Es sind vor allem zwei Fragen, die uns zunächst beschäftigen sollen:
1. Wie kommt man zu der Einsicht, daß Krankheiten eine Umbildung des normalen menschlichen Lebensprozesses zwischen Geburt und Tod darstellen?
2. Wie kann gerade diese Einsicht die hygienische okkulte Fähigkeit zur Reife bringen?

Die Zeitgestalt der Krankheit

Beginnen wir mit der ersten Frage. Krankheit und Lebenslauf werden verglichen. Von den vielen Stationen, die das Leben durchläuft, werden Anfang und Ende, der Geburtspol und der Todespol, herausgehoben. Der Lebenslauf mit der ganzen Fülle seines Geschehens wird auf den Zeitraum der Krankheit konzentriert. Der von einer Krankheit Befallene durchlebt in gewisser Weise das Ganze des Lebens: Zurück an den Lebensanfang und vorwärts bis an das Lebensende.

Nehmen wir ein einfaches Beispiel: Jemand macht eine akute, fieberhafte Erkrankung, sagen wir eine Grippe, durch. Wie verändert sich das Leben des in einer solchen Weise Erkrankten? Er legt sich ins Bett, geht zurück in die Horizontale und wird pflegebedürftig; Beruf, Verantwortung, Terminkalender, das alles fällt zunächst einmal ab. Er gerät in eine Situation, die sich mit der des Säuglingsalters vergleichen läßt; er wird in gewisser Weise wieder an den Lebensbeginn, in die Nähe des Geburtspoles versetzt. Das Bewußtsein wird dumpf, träumend, benommen, entspricht früheren Bewußtseinszuständen.

Das Zurückkehren in eine Anfangssituation, in frühere, bereits überwundene Zustände, gilt aber auch für andere Krankheitsformen. Auch dort, wo es nicht – wie in dem gewählten Beispiel – bereits für die unbefangene Beobachtung offensichtlich ist, ergibt es sich für eine genauere medizinische Betrachtung. Die Geschwulstkrankheiten zum Beispiel äußern sich im Wiederauftreten von Wachstumsvorgängen – wenn auch in partieller und pathologischer Weise –, die eigentlich für die Kindheit charakteristisch sind. Auch die Art der dabei entstehenden Zellen weist zurück in die Vergangenheit. Es sind primitive Formen, nicht ausgereift, die auf früheren Stadien stehengeblieben sind. – Bei den Blutkrankheiten (Anämien, Leukämien) treten Jugendformen der Blutkörperchen auf. Embryonale Blutbildungsherde, die ihre Tätigkeit längst eingestellt hatten, beginnen aufs neue zu produzieren. – Die Entmarkungserscheinungen, die man bei Nervenkrankheiten feststellt, zeigen an, daß das Nervensystem wieder einen Zustand annimmt, wie er der Embryonalzeit und frühen Kindheit entspricht. – Psychiatrische Erkrankungen führen zu einer psychischen Regression: der Kranke kehrt seelisch zu einer früheren Erlebnisform zurück. – Sehr viele Krankheiten gehen mit einer Erhöhung des Blutkupferspiegels einher. Auch das deutet auf einen früheren Zustand, denn der Kupfergehalt des Blutes ist beim Säugling und beim Kleinkind größer als beim Erwachsenen. Kupfer weist immer zurück in die Frühzeit.[5]

«Fang noch einmal an», sagt die Krankheit zum Menschen, «geh zurück an den Ursprung, an den Pol der Geburt, und werde dadurch fertig mit einem Hindernis, das du anders nicht überwinden kannst». Diese Anfangssituation der Krankheit bedeutet zugleich einen Inkarnationsvorgang, durch den sich die Individualität wie am Lebensanfang der Leiblichkeit zuwendet, um diese zuzubereiteten und zu wandeln.

Auch der entgegengesetzte Pol des Lebenslaufes, der Alters- und Todespol, erscheint in der Krankheit wieder. Hier muß man auf Erscheinungen aufmerksam werden, die noch wenig beachtet werden, weil sich die Aufmerksamkeit im allgemeinen mehr auf die äußerlich beobachtbaren Symptome richtet als auf das innere Erleben des Kranken. Wenn der nach einer schwere Krankheit Genesende wieder aufsteht, etwas unsicher noch in den Bewegungen und in einer dem Alltagsbewußtsein enthobenen Verfassung, so nimmt er damit einen Zustand voraus, der sich normalerweise erst im Alter einstellt: Das Körperliche läßt nach, aber das Bewußtsein erhebt sich zu größerer Überschau. Hier hat man es mit einem Exkarnationsvorgang zu tun. Im Alter kommt es wie nach einer schwere Krankheit zu einem Verlust an Wachstumskräften. Wunden und Knochenbrüche heilen bei alten Menschen langsamer. Aber die dem Körperlichen entzogenen Wachstumskräfte stehen dem Bewußtsein zur Verfügung. Die Entwicklung einer «Altersweisheit» war in früheren Zeiten eine so selbstverständliche Tatsache, daß bestimmte verantwortungsvolle Funktionen den Menschen höheren Lebensalters vorbehalten blieben. Die Bezeichnung «Senat», Rat der Alten, deutet noch auf diesen Zusammenhang.

Auch das Durchmachen einer Krankheit führt zu einem entsprechenden Bewußtseinswandel. Das gilt für alle Krankheiten, wird aber besonders deutlich bei den Kinderkrankheiten, weil diese im allgemeinen in ein so wandlungsfähiges Lebensalter treffen. Bei einem Kinde, das etwa durch seine Masernerkrankung die Schule versäumt hat, fürchten Eltern und Lehrer vielleicht, daß es den Anschluß an den Unterricht nicht wiederfindet. Es zeigt sich aber häufig, daß es im Gegenteil inzwischen vorangekommen ist und mit wacherem Bewußtsein am Unterricht teilnimmt.

Was im Lebenslauf nach Geburtspol und Todespol, nach Inkarnations- und Exkarnations-Richtung auseinandergelegt ist, rückt in der Krankheit zusammen. Die Krankheit ist tatsächlich so etwas wie ein zusammengefaßter Lebenslauf. Dabei ist die Betonung des Geschehens für die einzelnen Krankheiten verschieden. Bei den Lockerungszuständen und Psychosen (sogenannte Geisteskrankheiten) liegt die Betonung von vornherein auf dem Todespol, auf der Exkarnationsrichtung. In der kindlichen Hysterie zum Beispiel verströmt sich das Kind so intensiv in seinem Wesen, daß Rudolf Steiner den zugrundeliegenden Vorgang direkt mit einem Sterbeprozeß verglichen hat.[6]

Bei anderen Krankheiten steht der Geburtspol, die Inkarnationsrichtung, im Vordergrund. Bei den malignen Tumoren beispielsweise fällt immer wieder das im Verhältnis zum Lebensalter jugendliche Aussehen der Patienten auf. Der Hydrocephalus (Wasserkopf) hält mit seinem Riesenschädel die Proportionen der Embryonalzeit fest. – Aber immer kommt doch, wenn auch manchmal vielleicht nur in Andeutungen, auch der andere Pol des Krankheitsgeschehens zur Erscheinung. Wir haben hier nur die beiden Grenzsituationen ins Auge gefaßt. Bei genauerer Betrachtung lassen sich noch weitere Stationen des Lebensweges im Krankheitsverlauf wiederfinden. Für eine zukünftige Krankheitserkenntnis bleibt da noch ein weites Feld der Bearbeitung offen.

Diese Art der Krankheitsauffassung führt in das zeitliche Geschehen herein. Man kommt heraus aus der räumlichen Auffassung, die das Hauptgewicht auf den physisch faßbaren Sitz der Krankheit legt, (Morgagni, 1682–1771: «Vom Sitz und den Ursachen der Krankheiten») und bewegt sich im ätherischen Strom der Zeit. Der Lebenslauf dient als Modell. Er wird zusammengeschoben, so daß sich ein Verlauf von der Geburt bis zum Tode im Zeitraum der Krankheit abspielt. Die Zeit wird konzentriert.

Die Krankheit als zweiphasiges Geschehen

Nun kann man die Zeit noch mehr konzentrieren. Man kann Geburtspol und Todespol so nahe zusammenschieben, daß sie gleichzeitig auftreten. So kommt man auf der anderen Seite wieder aus der Zeit heraus. Es geht nicht zurück in den physischen Raum, sondern vorwärts in eine höhere, überzeitliche Gesetzmäßigkeit. An zwei verschiedenen Stellen des Organismus treten Krankheitsvorgänge auf, die räumlich getrennt sind und doch ein Einheitliches darstellen, weil es sich um Geburtspol und Todespol des gleichen Krankheitswesens handelt. Rudolf Steiner bezeichnet es als ein Merkmal für den astralischen Bereich, wenn zwei räumlich getrennte Gebilde ein einheitliches Ganzes ausmachen.[7]

Der innere Zusammenhang solcher Krankheitsvorgänge besteht darin, daß sie in einem gesetzmäßigen Zusammenhang zueinander stehen, welchen man als das Verhältnis von «Überfluß» und «Mangel» bezeichnen kann: Was die eine Krankheitserscheinung zu viel hat, hat die andere zu wenig. Die Kräfte, die an dem einen Pol ein Übermaß an Wirkungen hervorrufen, werden dem anderen Pol des Organismus entzogen und rufen dort die als «Mangel» zu charakterisierenden Erscheinungen hervor. Es bildet sich parallel zu der Stelle des Überschusses eine andere aus, an der ein Defizit besteht. Ein Plus steht einem Minus gegenüber, ein Inkarnationsgeschehen einem Exkarnationsvorgang: Geburtspol und Todespol, die beiden Endmarken des Lebenslaufes, treten gleichzeitig auf und bedingen sich gegenseitig. Das soll im weiteren noch an konkreten Beispielen erläutert werden.

In diesem gegenseitigen Sichbedingen von Überfluß und Mangel liegt wiederum eine astralische Gesetzmäßigkeit vor. Goethe bezeichnet es als den Leitfaden der tierischen Organisation und nennt es ganz ähnlich den «Zusammenhang von Vorzug und Mangel». Andere Forscher der Goethezeit sprachen von einem «balancement des organes». Hat ein Tier einen besonderen Vorzug, so ist dies nur dadurch möglich, daß an anderer Stelle ein Mangel auftritt. Keinem Teil kann etwas zugelegt werden, ohne daß einem anderen etwas entzogen wird. Es ist der Natur unmöglich, den Löwen gehörnt zu bilden, weil die Kraft, die zur Bildung der Hörner notwendig wäre, bereits in dem mächtigen Gebiß investiert ist, während umgekehrt der Kuh die Vorderzähne im Oberkiefer fehlen, weil sie deren Kräfte für die Hörner gebraucht hat. – Goethe bringt noch eine Reihe weiterer Beispiele solcher anschaulicher Verschiebungen in der tierischen Organisation.[8]

Beim Menschen mit seiner höheren Organisation wirkt sich die für den astralischen Bereich geltende Gleichgewichtsverschiebung von Überfluß und Mangel nicht mehr in der Gestalt aus wie beim Tier, wohl aber in der gegenseitigen Abhängigkeit von Krankheitserscheinungen.[9]

Rudolf Steiner gibt verschiedene Beispiele für derartige Krankheitszusammenhänge.[10] Hat man es beispielsweise mit einer bestimmten Form von Hautentzündung zu tun, so entfaltet in den entzündlichen Erscheinungen der Organismus eine verstärkte Aktivität, die er der Tätigkeit der Leber entzieht. Die Hautentzündung stellt den Pluspol, die Leberstörung den Minuspol zweier zusammengehöriger Krankheitserscheinungen dar. Solche Beziehungen von Hauterscheinungen zu inneren Organen sind den Hautärzten bekannt. Aber derartige Zusammenhänge gibt es in allen Bereichen des Organismus. Vieles, was an verschiedenartigen Krankheitserscheinungen gleichzeitig auftritt und als Symptomenkomplexe oder Syndrome registriert wird, läßt sich für eine wirklichkeitsgemäße Erkenntnis nach Überfluß und Mangel, nach Plus und Minus, auseinanderlegen in zwei scheinbar parallel verlaufende, in Wirklichkeit sich gegenseitig bedingende Krankheitszustände. Das hat praktische Konsequenzen für Diagnose und Therapie, wie noch gezeigt werden soll.

So gibt es die allerverschiedensten Krankheitserscheinungen, die als sogenannte paraneoplastische Syndrome eine Geschwulstkrankheit begleiten können. Diese Nebenkrankheiten zu den Geschwülsten kennt man noch nicht lange. Sie können zusammen mit der Geschwulst auftreten oder erst später beginnen, aber auch schon vorher, zum Teil um Jahrzehnte früher. Sie sind nicht, wie die Tochtergeschwülste (Metastasen) oder die Rückfälle (Rezidive), mit der Grundkrankheit wesensgleich, sondern ganz von ihr verschieden.

So eine paraneoplastische Nebenkrankheit kann unter Umständen auf eine Geschwulst aufmerksam machen, die sich an ganz anderer Stelle unerkannt entwickelt. Wenn zum Beispiel ein älterer Mann darüber klagt, daß er Schwierigkeiten hat, sich aus der Hockstellung zu erheben, so ist es möglich, daß eine Geschwulst in der Lunge (Bronchialcarcinom) dahintersteckt. Gelingt es, die Geschwulst auszuheilen oder zu entfernen, so bildet sich auch die Schwäche der Gliedmaßenmuskulatur wieder zurück. Die Geschwulst stellt den Pluspol das Krankheitsgeschehens dar, das an ganz anderer Stelle in der Muskelschwäche seinen Minuspol hat. Wird der Pluspol – in diesem Fall also die Geschwulst in der Lunge – ausgeheilt, so begeben sich die hier überschüssig tätigen Kräfte zurück an die Stelle des Mangels, so daß dieser – hier die Muskelschwäche in den Beinen – ausgeglichen wird und auch der Minuspol gesundet.

Von solchen geschwulstbegleitenden Krankheitszuständen gibt es sehr viele Arten. Man unterscheidet allein über vierzig verschiedene Formen von Hauterscheinungen.[11] Aber sie zeigen sich auch als Muskelsymptome, Gelenkerkrankungen, neurologische Erscheinungen, Störungen der inneren Sekretion etc. Man nimmt im allgemeinen an, daß die Geschwulst diese Erscheinungen hervorruft. Dabei hat man allerdings keine sicheren Vorstellungen darüber, wie das zustandekommt; vor allem auch deshalb, weil die paraneoplastischen Erscheinungen dem Auftreten der Geschwulst, welche sie doch hervorbringen soll, um Jahre oder Jahrzehnte vorausgehen können.[11]

Für die geisteswissenschaftliche Erkenntnis ist der Zusammenhang umgekehrt. Nicht ein vom Tumor ausgehender Einfluß ruft die paraneoplastische Erscheinung hervor, sondern das mit dem Tumor verbundene Geschehen entzieht einer anderen Region die Kräfte, macht sie gewissermaßen «leer» und bereitet damit den Boden für die paraneoplastischen Erscheinungen. Der Tumor wirkt nicht ausstrahlend (zentrifugal), sondern gewissermaßen «saugend» (zentripetal). Er wird zum Überschußgebiet (Pluspol), das sich aus den Kräften einer anderen Region versorgt, während die paraneoplastische Erscheinung das Defizitgebiet (Minuspol) darstellt.

Auch beim Fokalinfekt stehen Herd (Zahngranulom, Tonsillen etc.) und Organerkrankung (Herzklappen, Gelenke, Niere etc.) im Verhältnis von Plus und Minus. Die Entfernung des Herdes (Plus) bringt nicht deshalb Heilung, weil dieser «streut», sondern umgekehrt, weil er Überschußkräfte an sich gezogen hatte, die jetzt frei werden und sich dem erkrankten Organ (Minus) wieder zuwenden können.

Das Verältnis von Minuspol zu Pluspol im Krankheitsgeschehen hat auch therapeutische Konsequenzen. Im Überschußgeschehen des Pluspoles liegt bereits ein – allerdings nicht zu Ende gekommener – Selbstheilungsversuch vor. Der Arzt, der diesen Zusammenhang kennt, kann den unvollkommenen Heilungsversuch aufgreifen und zu Ende führen.[9]

So äußert sich das zum Tumor gehörige Überschußgeschehen unter anderem in einer Wärmezone, die den Tumor umgibt und die man messen kann. Darauf hat schon 1957 Felix Ungar[12] aufmerksam gemacht, und das wird heutzutage durch die Ergebnisse der Thermographie bestätigt. Wenn Rudolf Steiner für die Tumor-Behandlung mit einem Mistelpräparat fordert, daß dabei ein «Wärmemantel» um die Geschwulst gebildet wird,[13] so übernimmt damit das Heilmittel den als Wärmezone bereits vorhandenen Selbstheilungsversuch und löst ihn ab. Die darin wirksam gewesenen Überschußkräfte (Pluspol) werden frei und können sich dem Minuspol zuwenden und diesen ausheilen.

«Krankheitsprozesse sind nämlich nur spezielle und radikale Umbildungen des ganz gewöhnlichen, normalen Lebensprozesses, der zwischen Geburt und Tod verläuft ...».[3] Die Entsprechung von Krankheit und Lebenslauf, die Rudolf Steiner in dieser Weise formuliert, hat sich uns in unseren bisherigen Betrachtungen auf verschiedene Weise bestätigt. Für die zunächst betrachteten Krankheiten war diese Entsprechung evident. Sie verlaufen in der Zeit wie der Lebenslauf und zeigen in Anfang und Ende einen Anklang an Geburtspol und Todespol. Bei den Krankheiten der zweiten Art, bei denen Anfang und Ende gleichzeitig auftreten, ist der normale Lebensprozeß viel radikaler umgebildet, aber

doch als solcher zu erkennen, weil auch hier in der Gegenüberstellung von Überschuß und Mangel so etwas wie ein Geburtspol und ein Todespol vorhanden ist.

Der medizinische Aspekt des hygienischen Okkultismus

Wir sind damit zu einer grundsätzlichen und umfassenden Krankheitserkenntnis gelangt. Diese hat, wie wir sehen, auch diagnostische und therapeutische Konsequenzen. Vor allem aber ist damit zweierlei gewonnen. Einmal gibt die Verwandtschaft von Krankheit und Lebenslauf einen Hinweis auf den tieferen Sinn des Krankheitsgeschehens überhaupt: Inkarnation und Exkarnation, die beiden Grundtendenzen, mit denen sich das «Ich» durch das menschliche Leben bewegt, finden wir in der Krankheit wieder. Wie der Durchgang durch Geburt und Tod und die anderen Stationen des Lebenslaufes für die menschliche Individualität die Gelegenheit ist, sich in ihrem Erdenschicksal zu verwirklichen, so gibt der verdichtete Lebenslauf der Krankheit einen verstärkten Anstoß zu solcher Verwirklichung des eigentlichen Menschenwesens. Die Verwandlung, die der Mensch durch seinen Lebenslauf erfährt, spielt sich in der Krankheit mit konzentrierter Kraft in einem kürzeren Zeitabschnitt ab. – Zum anderen liegt gerade in dieser Einsicht die Möglichkeit, sich innerlich mit der Krankheit zu verbinden und sich in das Krankheitsgeschehen, auch das eines anderen Menschen, hineinzuversetzen. Die Krankheit wird von innen her erlebt, denn der Lebenslauf ist uns eben dadurch, daß wir ihn durchmachen, von innen her zugänglich.

Mit dem vertieften und verinnerlichten Erleben einer solchen grundsätzlichen Krankheitseinsicht sind wir aber schon auf einem Wege, der uns auch auf die Lösung der zweiten Frage bringt, die wir eingangs aufgeworfen hatten, nämlich: «Wie kann gerade diese Einsicht in das Wesen der Krankheit die hygienische okkulte Fähigkeit zur Reife bringen?» Wie kann überhaupt eine Erkenntnis sich unmittelbar in eine Fähigkeit verwandeln? Wie kann ein Bewußtseinsvorgang zu einer wirksamen Kraft werden?

Auf einem der Medizin nahe verwandten Gebiet, auf dem der Heilpädagogik, hat Rudolf Steiner Zusammenhänge dargestellt, die zu einer Antwort auf diese Frage führen. Er schildert da, daß bei den behinderten Kindern – den «Seelenpflege-bedürftigen Kindern», wie er sie nennt – die Schwäche häufig im Bereich der Lebenskräfte liegt, im ätherischen Bereich. Es muß stärkend auf den geschwächten Ätherleib des Kindes eingewirkt werden. Da gibt es ein ganz allgemeines Gesetz: stärkend auf irgendein menschliches Wissensglied wirkt immer das nächst höhere Wesensglied; auf den Ätherleib also der Astralleib. Nicht nur der eigene Astralleib wirkt in dieser Weise; es kann auch der Astralleib eines anderen Menschen sein. Wenn sich der Astralleib des Erziehers in der geeigneten Verfassung befindet, übt er einen stärkenden Einfluß auf den Ätherleib des Kindes aus; das Seelenleben des Erziehers wirkt bis in die Lebenskräfte des Kindes.[13a]

Wir alle kennen solche Wirkungen, die vom Erzieher ausgehen. Es gibt den geborenen Erzieher, bei dem die Kinder gedeihen, dem sie folgen, ohne daß er viele Worte braucht. Es gibt auf der anderen Seite den Erzieher, der sich die größte Mühe gibt und der dennoch nicht solche

Wirkungen zu erzielen vermag. Aber auch dieser braucht nicht zu verzagen, denn er kann seinen Astralleib durch intensive Bemühung in die gleiche Verfassung bringen, die der geborene Erzieher schon als Veranlagung mitbringt. Und wiederum ist es eine Einsicht, eine Erkenntnis, die eine solche Verwandlung zustandebringt. Das in lebendiger Erkenntnisbemühung erarbeitete Verständnis für den menschenkundlichen Vorgang, welcher der Behinderung des Kindes zugrunde liegt, verwandelt sich in objektives Mitleid. Ein so vertieftes menschenkundliches Interesse gibt dem Erzieher die Möglichkeit, sich innerlich in den Zustand des Kindes zu versetzen, in seinem Bewußtsein mitzumachen, was organisch-pathologisch im Kinde sich vollzieht. Und aus diesem Miterleben geht die heilende Kraft hervor. Ein objektives Mitleid ist gemeint. Nicht ein subjektives Mitleid, das leicht sentimental wird und sich auf keinerlei Erkenntnis stützt, das mit Recht vom Behinderten abgelehnt wird, weil es nicht hilfreich, sondern eher demütigend wirkt.

Solche vom Menschen ausgehenden Wirkungen kennen wir in allen Berufen, die es mit der Hilfe für andere Menschen zu tun haben. Es gibt die geborene Krankenschwester, bei der es dem Patienten schon wohler wird, wenn sie nur ins Zimmer tritt. Es gibt den geborenen Arzt, von dem man sagt, daß seine Persönlichkeit es sei, die heilend wirke. Und es gibt in allen diesen Bereichen die Möglichkeit, daß auch ein Mensch, der derartige Fähigkeiten nicht von vorneherein mitbringt, sie erwerben kann durch intensive Erkenntnisbemühung, durch die innerlich vertiefte Einsicht in das wahre Wesen des Krankheitsvorganges.

Wie steht es nun in diesem Zusammenhang um die Einsicht, daß *«Krankheitsprozesse (...) nur spezielle und radikale Umbildungen des ganz gewöhnlichen normalen Lebensprozesses sind, der zwischen Geburt und Tod verläuft»*, wie Rudolf Steiner sagt. Es ist die universellste Krankheitserkenntnis überhaupt, die das Wesen aller Krankheiten umfaßt. Und es ist zugleich diejenige Erkenntnis, die es erlaubt, den Krankheitsvorgang wirklich innerlich mitzuerleben. Denn was kann uns von innen besser bekannt sein als der Lebenslauf, in dem wir ständig darinnenstehen? So wird einsehbar, daß die gesundenden Kräfte der hygienisch okkulten Fähigkeit gerade durch diese umfassende Einsicht reifen. Die allgemeine Krankheitseinsicht kann sich dann jeder besonderen Krankheit gegenüber in die Erkenntnis wandeln, in welcher Weise gerade in dieser speziellen Form «eine spezielle und radikale Umwandlung der ganz gewöhnlichen normalen Lebensprozesse» vorliegt.

Das innerliche Sichversetzen in das Krankheitsgeschehen kann meditativ vertieft werden. Rudolf Steiner hat Mantren angegeben, die sich auf bestimmte grundlegende Krankheitserscheinungen beziehen und das verstehende Miterleben des Krankheitsprozesses verstärken.[14]

Heilende Fähigkeiten instinktiver Art hat es auch in allen Zeiten gegeben und gibt es als atavistische Reste heute noch hier und da. Bei der künftigen Fähigkeit handelt es sich um etwas grundsätzlich anderes. Für sie ist charakteristisch, daß sie mit einem bestimmten Bewußtseinsschritt verbunden ist und durch eine ganz konkrete Einsicht zur Reife kommt. Aus dieser aktiven Bewußtseinshaltung ergibt sich eine innige Verbindung zwischen dem Heiler und dem zu Heilenden, und zwar in doppelter Hinsicht. Indem der Heilende den Krankheitszustand innerlich miterlebt, geht etwas von dem zu Heilenden als Bewußtseinsinhalt auf ihn über. Daraus entwickelt sich die gesundende Kraft, die nun wieder in umgekehrter Richtung dem Leidenden zufließt. Der Heiler erlebt die «krankmachenden Kräfte», der Kranke erfährt die «gesundmachenden Kräfte», von denen in dem eingangs wiedergegebenen Wortlaut Rudolf Steiners die Rede war.

Der medikamentösen Therapie des Arztes, die auf der Beziehung des Menschen zu den Naturreichen beruht, wird der heilende Einfluß hinzugefügt, der sich aus dem miterlebenden Verständnis für den anderen Menschen ergibt. Dem Heilprozeß wird auf diese Weise eine Seele mitgegeben. Das ist etwas, «was der Kranke wie eine Gnade empfinden wird, wenn er es im Heilprozeß erlebt».[15]

In einer solchen Haltung des Arztes liegt auch die Heilung des Arzt-Patienten-Verhältnisses selber, das durch die nur naturwissenschaftliche Auffassung vom Menschen und von der Krankheit heute schwer gefährdet ist.

Der pädagogische Aspekt des hygienischen Okkultismus

Die hygienische okkulte Fähigkeit ist aber nicht etwas dem ärztlichen Beruf allein Vorbehaltenes. Sie tritt als angeborene Veranlagung auf und wird reifen durch die Einsicht in den Zusammenhang von Krankheit und Lebenslauf. Diese Einsicht hat zwei Seiten, wie wir sahen, und entsprechend hat auch der hygienische Okkultismus zwei Aspekte. Dem *medizinischen Aspekt,* mit dem wir uns bisher beschäftigt haben, liegt die Einsicht zugrunde, daß Krankheit ein verdichteter Lebenslauf ist. Die umgekehrte Form dieser Einsicht – der Lebenslauf ist ein verlangsamter Krankheitsprozeß – bringt dasjenige zur Reife, was wir ganz allgemein den *pädagogischen Aspekt* des hygienischen Okkultismus nennen können. Dieser wird sich in der Fähigkeit äußern, sich vorbreitende Krankheitstendenzen vor ihrem eigentlichen Ausbruch «auf psychischem Wege prophylaktisch zu behandeln ...»[3]. Alle Erziehung, alle Kultureinflüsse, alle künstlerischen Therapien können diesem Ziel dienen.

Der Lebenslauf beginnt wie die Krankheit mit einem der Leiblichkeit zugewandten Geschehen, einem Inkarnationsvorgang, und endet wie diese mit einer Wendung in die Exkarnationsrichtung. Dazwischen liegt – im verlangsamten Geschehen des Lebenslaufes viel deutlicher als in der Krankheit – die Differenzierung durch die einzelnen Stadien des durchlaufenen Weges, die wieder in kleineren Rhythmen zwischen Inkarnations- und Exkarnationsrichtung schwingen. Der Lebenslauf ist ein gegliederter Zeitorganismus, der durch gesetzmäßig aufeinander folgende Epochen geht. Rudolf Steiner hat seine Gliederung in die einzelnen Jahrsiebente insbesondere in den pädagogischen Schriften[16], aber auch in anderen Schriften[17] charakterisiert, und diese Charakteristik ist in einem reichen Schrifttum für verschiedene Lebensgebiete ausgebaut worden.[18,19,20]

Bei dem erstbetrachteten Aspekt des hygienischen Okkultismus kam es darauf an, sich in den Krankheitsprozeß zu versetzen, also sich auf einen Vorgang zu *konzentrieren,* der selber schon eine Konzentration des Lebenslaufes darstellt. Für den zweiten Aspekt ist erforderlich, von einem bestimmten Entwicklungspunkt aus das Erleben über das Ganze des Lebenslaufes in Vergangenheit, Gegenwart und Zukunft *auszudehnen.* Aus der Gesamtüberschau des Lebens mit seinen Gliederungen, Verfrühungen, Verspätungen, Korrespondenzen und Spiegelungen wird ersichtlich, in welcher Weise der einzelne Zeitabschnitt jeweils in diesem Ganzen darinnensteht. Von solchen, in der verschiedensten Weise gegliederten, inneren Zusammenhängen der «Lebenskrankheit» soll im folgenden die Rede sein.

Der Vergleich mit der Krankheit ist auch deshalb richtungsweisend, weil sich daraus ergibt, daß der Lebenslauf nicht etwas ist, das man einfach abrollen läßt, sondern daß er ständiger Behandlung bedarf, und zwar für jedes Stadium in spezifischer Weise. Nie kann das Vorhandene genügen. Die wirkliche Gesundheit wird in jedem Augenblick durch Ich-Aktivität neu erzeugt.

Der wesentliche Heilfaktor auf diesem Weg durch das Leben ist die Erziehung – sowohl die Erziehung des Kindes wie die Selbsterziehung im weitesten Sinne. Rudolf Steiner hat immer wieder die heilende Bedeutung der von ihm inaugurierten Pädagogik betont. Aufgabe des Lehrers ist «das Lehren des richtigen Atmens und das Lehren des richtigen Rhythmus im Abwechseln zwischen Schlaf und Wachen».[21] Damit ist keine Atemdressur gemeint und keine Dressur des Schlafens und Wachens. Sondern es ist gemeint, daß alle Erziehungsmaßnahmen einen Einfluß haben auf die Verkörperung (Inkarnation) der «Geistseele» des Kindes in seinem «Leibeskörper». Und diese Verkörperung geht nicht gradlinig vor sich, sondern rhythmisch in immer wiederholtem Anlauf. Wie das Meer bei steigender Flut mit jeder Welle ein wenig weiter den Strand hinaufläuft, so verkörpert sich die Geistseele des Kindes mit jedem Atemzug, mit jedem Aufwachen, ein wenig mehr in der

Leiblichkeit. Es ist ein lebendig-schwingender Prozeß, der nach zwei Seiten aus dem Gleichgewicht geraten kann. Den sich verkörpernden Anteil der Kindeswesenheit wollen wir im weiteren nach seiner wesentlichen Impulsierung auch kurz als «Ich» bezeichnen, das sich mit der ihm entgegenwachsenden leiblichen Organisation verbindet.

Wird das Ich zu stark aufgesaugt von der physischen Organisation, so gerät das Kind auf einen Weg, der es zu materiell werden läßt und in letzter Konsequenz zu einer Konstitution mit verbrecherischen Neigungen führt. – Verbindet sich das Ich nicht genügend mit seiner Leiblichkeit, so wird das Kind ein Träumer oder Schwärmer, der zu phantastischen Vorstellungen neigt.

Gesundheitliche Wirkungen des Unterrichts

Mit einer wirklichen Erziehungskunst sind auch die konkreten Mittel gegeben, um solches einseitigen und gefährdenden Entwicklungstendenzen nach beiden Seiten zu steuern.

Die verschiedensten Unterrichtsgegenstände fördern oder lockern je nach der Art ihrer Anwendung die Verbindung des Ich mit der Leiblichkeit.[22] Das passive Anhören von Musik zum Beispiel zieht das Ich aus der Leiblichkeit heraus – das kann man jederzeit am Gesichtsausdruck von Konzertbesuchern ablesen. Aber das Erinnern von Tonfolgen bringt das Ich wieder herein. – Die Beschäftigung mit den zahlenmäßigen und räumlichen Vorstellungen von Arithmetik und Geometrie versetzen das Ich herein in den Organismus, während geometrisches Zeichnen eine zu starke Abhängigkeit vom Organismus lockert. Überhaupt kommt das Kind durch Zeichnen und auch durch Schreiben etwas «außer sich», während es durch das Betrachten des Gezeichneten und Geschriebenen wieder «in sich» kommt. – Wird in der Geschichte so anschaulich und lebendig erzählt, daß das Kind einen starken Gemütsanteil nimmt, so kann es in die schwärmerische Richtung geraten. Demgegenüber bringt das Durchsetzen der Geschichte mit Ideen und großen Zusammenhängen das Kind wieder zu sich. – So kann jeder Unterrichtsgegenstand zum Heilfaktor werden, der regulierend auf das Zusammenspiel des kindlichen Ich mit seiner leiblichen Organisation einwirkt.

Die Wirkung dieses Zusammenspiels ist in feineren Symptomen durchaus auch der unmittelbaren Beobachtung zugänglich. Wird zum Beispiel das Gedächtnis zu stark beansprucht, so zeigt sich für eine sorgfältige Beobachtung, daß das Kind blässer wird. Bei fortschreitender Gedächtnisüberlastung können sich sogar Angstzustände entwickeln. Dagegen bessert sich die Gesichtsfarbe, wenn eine Zeitlang die Phantasie angeregt wird. – Umgekehrt kann Blutandrang zum Kopf, eine gerötete Gesichtsfarbe und Neigung zu Wutanfällen auf einer zu geringen Gedächtnisbeanspruchung beruhen. Die sorgfältige Beobachtung solcher feineren Zusammenhänge schult das gesundheitliche Verständnis.[23]

Die Stimmung im Unterricht hat eine eminent hygienische Bedeutung. Wenigstens einmal während der Stunde sollte der Lehrer die Kinder in eine humorvolle Stimmung bringen. Dadurch kommen sie etwas aus sich heraus, sie atmen seelisch aus. Und wenigstens einmal sollte eine gerührte Stimmung entstehen. Dadurch kommen sie in sich hinein, sie atmen seelisch ein.[24]

In solchen Maßnahmen wird das praktisch, was Rudolf Steiner als eine Aufgabe des Lehrers bezeichnete: das Lehren des richtigen Atmens.

Das sind augenblickliche Wirkungen des Unterrichts. Aber da der Lebenslauf als Ganzes einen gegliederten Zeitorganismus darstellt, dessen einzelne Abschnitte miteinander in verschiedenster Verbindung stehen, hat die Unterrichtsgestaltung einen tiefgehenden Einfluß auch auf spätere Lebensepochen, im positiven wie im negativen Sinne. Gesundmachende und krankmachende Einflüsse gehen aus von der Art, wie der Unterricht erteilt wird. Was seelisch im Schulkind veranlagt wird, hat tiefgehende Folgen für den Gesundheitszustand des Erwachsenen. Solche über großen zeitlichen Abstand miteinander verbundenen seelisch-leiblichen Zusammenhänge sind schwer aufzufinden und zu durchschauen. Aber sie sind grundlegend für ein wirkliches hygienisches Verständnis, weil dieses ein reales Miterleben des Zeitverlaufs voraussetzt.

Wie es Flüsse gibt, die im Boden versickern, um dann an anderer Stelle als ein neuer Fluß hervorzubrechen, so können auch die längst vergessenen und anscheinend völlig verschwundenen Einflüsse des Unterrichts nach vielen Jahren in ganz anderer Form wieder auftauchen als gesundheitliche Folge. Ein Teil des Donauwassers zum Beispiel versinkt bei Immendingen in Spalten und Klüften und kommt erst in 11 Kilometer Entfernung bei Radolfzell als Aachquelle wieder zum Vorschein. Das ursprünglich ostwärts dem Schwarzen Meer zufließende Donauwasser strömt jetzt in entgegengesetzter Richtung mit dem Rhein westwärts. So hat auch die Richtung der gesundheitlichen Folgen des Unterrichts zunächst keine Ähnlichkeit mit ihrem lange zurückliegenden Ursprung.

Rudolf Steiner gibt eindrucksvolle Beispiele für solche Zusammenhänge. Wenn der Grammatikunterricht so erteilt wird, daß das Kind mit seinem Interesse nicht wirklich dabei ist, dann zieht es sich mit seinem Seelenleben aus den Stoffwechselvorgängen zurück. Daraus kann 15 bis 20 Jahre später eine Darmkrankheit werden.[24]

Tiefgehende Wirkungen hat auch das Lehrertemperament, dessen dauernder Einfluß sich über Jahre erstreckt. Was Rudolf Steiner darüber mitteilt, wirkt zunächst sehr überraschend. Der Unterricht eines acht- bis neunjährigen Kindes durch einen cholerischen Lehrer kann bei dem späteren Erwachsenen mit 45 bis 50 Jahren eine Stoffwechselkrankheit zur Folge haben. Wenn dieser sich dann in ärztliche Behandlung begibt, so ist es für den Arzt eine kaum lösbare Aufgabe, die eigentliche Krankheitsursache herauszufinden. – Nervosität und Neurasthenie im späteren Lebensalter können darauf beruhen, daß der Betreffende als Kind einen phlegmatischen Lehrer hatte. – Eine mit 40 bis 45 Jahren auftretende Störung der Herztätigkeit geht unter Umständen auf den Schulunterricht eines melancholischen Lehrers zurück. – Ein sanguinischer Unterricht schließlich kann sich später als Mangel an Vitalität und Lebensfreude auswirken.[25] Wie soll man solche Zusammenhänge verstehen? Sollte man nicht viel eher erwarten, daß zum Beispiel der Unterricht eines phlegmatischen Lehrers einen beruhigenden Einfluß ausübt, anstatt Nervosität hervorzurufen?

Es gibt für den Erwachsenen eine Möglichkeit, diese Zusammenhänge zwischen Temperament und gesundheitlicher Folge in ihren ersten Andeutungen wie an einem Modellfall zu erleben. Wenn er nämlich an einer

Konferenz teilnimmt, so wird er bald bemerken, daß die endlosen und umständlichen Ausführungen eines phlegmatischen Teilnehmers ihm keineswegs beruhigen, sondern im Gegenteil immer nervöser machen. – Verläßt dann ein Choleriker zornentbrannt die Konferenz, indem er hinter sich die Tür ins Schloß schmettert, so spürt der Dabeisitzende diesen Schock manchmal wirklich bis in die Stoffwechselvorgänge. – Eine melancholische Darstellung kann so bedrückend wirken, daß es dem Angesprochenen tatsächlich eng ums Herz wird. – Und der Bericht eines Sanguinikers, der nie beim Thema bleibt und ständig von einem Gegenstand zum anderen springt, ermattet schließlich den Zuhörer.

Selbstverständlich sind die von Rudolf Steiner angegebenen – und hier in dem Modellbeispiel veranschaulichten – negativen Wirkungen des Lehrertemperaments nur dann gegeben, wenn der Lehrer sein Temperament schießen läßt, während die unter Selbstkontrolle gehaltenen Temperamentskräfte in gleichem Maße positive Wirkungen ausüben können. Der Lehrer und seine Maßnahmen wirken auf das Kind wie die Arznei auf den Kranken, und wie das Medikament einer sorgfältigen pharmazeutischen Zubereitung und genauer Dosierung bedarf, so gilt genau das gleiche in übertragenem Sinne auch für die vom Lehrer ausgehenden Wirkungen. Weiß man von solchen Wirkungen, so kann man sie bewußt handhaben und anwenden.

Es ist erstaunlich, wie groß der zeitliche Abstand zwischen dem Schulunterricht und seinen gesundheitlichen Auswirkungen im Erwachsenenalter sein kann. Noch größer ist der Abstand von solchen Einflüssen, die das Kind im Vorschulalter treffen, und ihren späteren positiven oder negativen Folgen. Was am frühesten in die kindliche Seele hineingelegt worden ist, zeigt seine Wirkung am spätesten. Menschen, die als kleine Kinder wirklich beten lernen, können im hohen Alter die Gabe des Segnens haben. Lebensanfang und Lebensende korrespondieren miteinander. Dabei wirkt die Lebensmitte (35 Jahre) als eine Art Spiegelungsachse. Wie wir schon bei bestimmten Krankheitszuständen sahen, daß sie sich in Gebiete auseinanderlegen, die räumlich völlig getrennt und doch innerlich zusammenhängend sind, so ist auch der Lebenslauf nicht nur ein in der Zeit verlaufendes Kontinuum, sondern auch da gibt es Beziehungen zwischen zeitlich weit voneinander entfernten Lebensabschnitten. Solche wesensmäßigen Korrespondenzen überspringen Zeit und Raum. Sie werden weder durch räumliche noch durch zeitliche Abstände aufgehoben.

In den ersten drei Jahrsiebenten arbeitet das Ich an den nacheinander zur Geburt kommenden Hüllen des kindlichen Wesens, am physischen Leib, am Ätherleib und am Astralleib. Dabei wird es in der verschiedensten Weise, wie wir sahen, durch Erziehungseinflüsse bestimmt. Es sind die Jahre des körperlichen Wachstums. Die Entwicklung ist leibgerichtet (inkarnierend), und ihre Epochen werden durch leibliche Merkmale – Zahnwechsel, Geschlechtsreife – markiert.[26]

Im ersten Jahrsiebent wendet sich das Ich der physischen Leiblichkeit zu und arbeitet diese um, so daß sie immer mehr zum geeigneten Instrument für die kindliche Wesenheit wird. Das zeigt sich vor allem in den Kinderkrankheiten, die für dieses Lebensalter charakteristisch sind. Die typischen Kinderkrankheiten – zum Beispiel Masern oder Scharlach – gehen mit einem Ausschlag einher, der zur Abschuppung führt. Das Kind bekommt eine neue Haut. Was aber so in der Erneuerung der Körperoberfläche, in der äußeren Körperform, zum Ausdruck kommt, das durchdringt als verstärkte Durchformung das ganze Kind. In der Fieberwärme hat das Ich etwas wie eine gewaltige Willensanstrengung unternommen, deren Resultat eben die Durchgestaltung der Leiblichkeit ist.

Wie die pädagogischen Einflüsse gesundheitliche Folgen im späteren Leben haben, so können auch die Kinderkrankheiten zu einer gesundheitlichen Konsequenz – und zwar zu einer günstigen! – im weiteren Lebensverlauf führen. Menschen, die eine Kinderkrankheit durchgemacht haben, sind im späteren Lebensalter weniger gefährdet, an Krebs zu erkranken, als solche, die keine Kinderkrankheiten durchgemacht haben. Das geht aus verschiedenen Nachuntersuchungen hervor.[27]

Im zweiten Jahrsiebent setzt sich das Ich mit den Wachstumskräften auseinander, die jetzt eine Verwandlung eingehen. Ein Teil dieser Kräfte wird zu Denkkräften und äußert sich in der jetzt einsetzenden Lernfähigkeit. Das Kind wird schulreif. Es lernt Lesen und Schreiben. Greift das Ich nicht genügend ein, um die freigewordenen Wachstumskräfte ihrer neuen Aufgabe zuzuführen, so treten Schreib- und Lesestörungen auf, die als Legasthenie bezeichnet werden. Durch Umstellungen und Vertauschungen von Buchstaben kommt es zu eigenartigen Symmetrie-Erscheinungen, die an Wachstumsgesetzmäßigkeiten erinnern, aber dem Verlauf des Lesens und Schreibens widersprechen.

Das direkte Üben des Lesens und Schreibens hat dabei wenig Erfolg. Hilfreich ist alles, was die Aktivität des Ich verstärkt, vor allem eurythmische Bewegungsübungen.[28]

Mit der Pubertät wird eine entscheidende Schwelle

überschritten. Die Erdenreife – so nannte Rudolf Steiner das, was sonst einseitig als Geschlechtsreife bezeichnet wird – wird erreicht, und der Eintritt in die Erdenverhältnisse löst eine mehr oder weniger bewußte Proteststimmung aus. Die Geburt des Astralleibes läßt die Welt der Gefühle in starken Emotionen aufschäumen. Was sich seelisch in Opposition, Ablehnung, tobendem und ungebändigem Verhalten auslebt, kann auch zur körperlichen Krise, zur Krankheit werden. In der Pubertätsmagersucht wird die Ablehnung der Erdenverhältnisse körperlich sichtbar. Diese Krankheit beginnt mit Appetitlosigkeit, bis allmählich die Nahrung fast völlig verweigert wird. Die Kinder, es sind fast immer Mädchen, wehren sich mit aller Kraft gegen das Erwachsenwerden und versuchen durch radikales Fasten die Ausbildung weiblicher Körperformen zu verhindern. Das kann zu lebensgefährlichen Zuständen, ja bis zu Todesfällen führen. Der radikalen Ablehnung der Inkarnation, die sich in solchen Erscheinungen ausspricht, kann vorgebeugt werden, wenn der Inkarnationswille im vorangehenden Schulalter in der hier geschilderten Weise auch durch geeignete Unterrichtsmaßnahmen gefördert wird.

Selbsterziehung und seelische Entwicklung

Die Entwicklung geht weiter, auch wenn das körperliche Wachstum abgeschlossen ist. In den folgenden drei Jahrsiebenten (21–42 Jahre) entwickelt sich das seelische Leben. Noch einmal werden die drei Hüllen der menschlichen Wesenheit in aufeinanderfolgenden Metamorphosen durchgearbeitet, diesmal auf einer höheren, seelischen Ebene. Hier ist es das Jahr der endgültigen

Ich-Geburt, das 21. Lebensjahr, das als Spiegelungsachse wirkt. Es ergeben sich Beziehungen zwischen dem 3. (14–21 Jahre) und dem 4. (21–28 Jahre) Jahrsiebent, zwischen dem 2. (7–14 Jahre) und dem 5. (28–35 Jahre) Jahrsiebent und zwischen dem ersten Jahrsiebent und dem 6. (35–42 Jahre) Jahrsiebent.

Im 4. Jahrsiebent (21–28 Jahre) setzt sich die Betonung des Gefühlslebens fort, die schon das 3. Jahrsiebent kennzeichnete, aber sie wird durch das stärker in Erscheinung tretende Ich gesteuert. Die irdischen Verhältnisse werden jetzt bewußt in eigener Lebensgestaltung ergriffen. Der Mensch ist mündig geworden und voll für seine Taten verantwortlich. – In diesem Lebensalter der «Empfindungsseele» wird die Gemeinschaft mit Gleichaltrigen zu einem wichtigen Entwicklungsfaktor.

Was sich in der zweiten Lebensepoche elementar in Lernfähigkeit und Schulreife äußerte, verwandelt sich im 5. Jahrsiebent (28–35 Jahre) in die Fähigkeit, Beruf und Leben planend zu durchdenken und zu ordnen. Das Seelenleben verinnerlicht sich und verarbeitet die gemachten Erfahrungen und Erlebnisse. Das ist es, was Rudolf Steiner als «Verstandes- oder Gemütsseele» bezeichnet hat.

Beim Anblick eines selbstvergessen mit seinem Spiel beschäftigten Kleinkindes kann es zum unmittelbaren Erlebnis werden, wie das kleine Kind gewissermaßen im Mittelpunkt der Welt steht, nach allen Seiten unbewußt nachahmend, was ihm die Umwelt zuströmt, und seinen Leib danach gestaltend.

Dieses Mittelpunktsereignis des ersten Jahrsiebents kehrt sich im 6. Jahrsiebent (35–42 Jahre) um. Der Mittelpunkt ist nicht mehr Ziel der Umweltkräfte, sondern er wird zum Zentrum, von dem aus der Wille gestaltend in die Welt eingreift. Jetzt muß der Mensch die Mitte seines eigenen Wesens finden. Damit erfaßt er sich in diesem Lebensalter der «Bewußtseinsseele» zugleich als Glied einer geistigen Welt. Und von hier aus kann dann die Entwicklung weitergehen in die anschließende Zeit geistiger Entfaltung. Diese läßt sich nicht mehr in der bisherigen Weise in differenzierte und genaue Stadien einteilen. Von der Lebensmitte an geht die Entwicklung immer mehr in eine Exkarnationstendenz über. Das äußert sich einerseits im Nachlassen der leiblichen Funktionen, gibt aber andererseits auch die Gelegenheit, eine «Altersweisheit» auszubilden. Das Ich, das von Anfang an hinter der menschlichen Entwicklung stand und in immer neuen Ansätzen erst mehr leiblich und dann mehr seelisch gestaltend gewirkt hat, wird jetzt in stärkster Weise zum entscheidenden Faktor, der sich mit den zunehmenden Schwierigkeiten des Alters auseinandersetzt.

Für die seelische und geistige Entwicklung gilt weiterhin der Satz, *«daß das menschliche Leben, indem es von der Geburt bis zum Tode verläuft, nach einem Prozeß verläuft, der ganz identisch ist mit einem Krankheitsprozeß»*. In der immer wieder neu erfolgenden Auseinandersetzung des Ich mit seinen Hüllen aber liegt die Kraft, die heilend diesem Krankheitsprozeß gegenübersteht. Die Selbsterziehung tritt an die Stelle der Erziehung.

Wird das Ich selber schwach und unsicher, indem der Mensch am Sinn des Lebens verzweifelt, so fällt der wesentliche Heilfaktor fort und die «Lebenskrankheit» macht sich bemerkbar; zunächst seelisch als Lebensunsicherheit, Zweifel, Resignation und später auch in eigentlichen Krankheitsformen. Hier hat die anthroposophische Geisteswissenschaft, welche Licht in die verborgenen Seiten des Lebens bringt, auch eine hygienische

Aufgabe. «Ein Erkennen, welches das Verborgene offenbar macht, ist geeignet, alle Hoffnungslosigkeit, alle Lebensunsicherheit, alle Verzweiflung, kurz alles dasjenige zu überwinden, was das Leben schwächt und es unfähig zu dem ihm notwendigen Dienste im Weltganzen macht. Das ist die schöne Frucht geisteswissenschaftlicher Erkenntnisse, daß sie dem Leben Stärke und Festigkeit und nicht allein der Wißbegierde Befriedigung geben.»[4]

Alles, was die Aktivität des Ich fördert, stärkt zugleich seinen heilenden Impetus. Das gilt vor allem für die künstlerische Therapie, welche die schöpferischen Kräfte zur Betätigung aufruft. Wie das Ich im künstlerischen Medium nach außen gestaltet – in der Farbe, im plastischen Material, im musikalischen Ton, in der Sprache, in der Bewegung –, so gestaltet es zugleich nach innen an seinen Hüllen. Dabei bestehen ganz konkrete Beziehungen zu den einzelnen Wesensgliedern, wobei aber letzten Endes immer das Ich als eigentlicher Entwicklungsimpuls dahintersteht.

Soll der Ätherleib zu stärkerer Gestaltung bis in die Leiblichkeit angeregt werden, so ist das Plastizieren angezeigt. Soll die Gestaltungskraft in das Seelische zurückgenommen werden, dann hilft das Leben in der Farbe beim Malen mit Wasserfarben. Noch verinnerlichter ist die Wirkung der Musik, die aber andererseits auch bis in Blutzirkulation und Blutdruck hinein wirkt. Die stärkste Wirkung auf das Ich selber hat die Sprachgestaltung. In der Eurythmie schließlich, die in ihrer Ausgestaltung als Heileurythmie die verschiedensten Krankheitsindikationen hat, haben wir so etwas wie eine Zusammenfassung aller Künste.[29]

Die direkte und indirekte Aktivierung des Ich durch die künstlerische Therapie erweist sich als wirkungsvoll bei den verschiedensten gesundheitlichen Störungen. Diese Wirkung kommt aber an eine Grenze, wenn es sich um eigentliche Krankheiten handelt. Da ist dann die ärztliche Behandlung angezeigt.

Erziehung und Selbsterziehung im weitesten Sinn – wozu hier auch die künstlerische Therapie gerechnet wird – greifen in die gesundheitlichen Verhältnisse des menschlichen Lebens ein. Das komplizierte Gewebe von Gesetzmäßigkeiten, das dabei zugrundeliegt, haben wir an einigen Beispielen erläutert. Im Handhaben solcher Gesetzmäßigkeiten kann sich bei Erziehern und Therapeuten eine Art praktischer Lebensweisheit auf diesem Gebiet entwickeln, die noch nicht die hygienische okkulte Fähigkeit selber ist, aber den Weg für ihr Erscheinen vorbereitet.

Die drei künftigen okkulten Fähigkeiten

Diese hygienische okkulte Fähigkeit wird bei den Menschen der mitteleuropäischen Gegenden auftreten, wie Rudolf Steiner angegeben hat. Im Westen wird sich eine andere Fähigkeit entwickeln, die mechanische okkulte Fähigkeit. Diese äußert sich darin, daß durch von Menschen ausgehende Wirkungen Motoren in Bewegung gesetzt werden. Die menschlichen Lebenskräfte wirken auf diese Weise in leblose Zusammenhänge hinein. – Aus der Menschheit des Ostens wird die eugenetische okkulte Fähigkeit hervorgehen, die es möglich macht, Konzeption und Geburt im Einklang mit Sternkonstellationen so einzurichten, daß bestimmte Individualitäten sich verkörpern können. Übermenschliche Bereiche werden damit angesprochen.[3]

Man kann sich vorstellen, daß solche umwälzenden neuen Fähigkeiten große Veränderungen in der Menschheit auf politischem und sozialem Felde hervorrufen müssen. Das Energieproblem, die gesundheitspolitischen Verhältnisse, der Ruf nach schöpferischen Persönlichkeiten, alle diese drängenden Fragen erscheinen in einem neuen Licht. Aber diese Entwicklung ist nicht ohne Risiko. Die vermehrte maschinelle Potenz ließe sich zu ungerechtfertigter politischer und sozialer Machtentfaltung mißbrauchen, die neuen gesundheitlichen Möglichkeiten könnten auch zu schädlichen Eingriffen verführen. Und das Gebiet von Konzeption und Geburt ist ganz besonders gefährdet, in dunkle Machenschaften abzugleiten.

Durch die hygienische okkulte Fähigkeit, mit der wir uns hier beschäftigen, wendet sich der Mensch dem Menschen zu. Sie wird, wie ausgeführt, in Mitteleuropa als angeborene Veranlagung auftreten. Damit aber diese Fähigkeit wirklich herauskommt, muß ihr eine persönliche Bemühung entgegenkommen, die aus der Einsicht in den Zusammenhang von Krankheit und Lebenslauf hervorgeht. Auf diese Weise können unter Umständen auch Menschen der angrenzenden Regionen, die keine ursprüngliche Veranlagung dazu haben, sich diese Fähigkeit aneignen.

Die zwei Formen, in denen sich die Einsicht aussprechen läßt, auf die es hier ankommt, beziehen sich auf die beiden Aspekte des hygienischen Okkultismus. Der medizinische Aspekt, der sich auf eine vertiefte Krankheitsauffassung gründet, wendet sich der schon manifest gewordenen Krankheit zu. Die Einsicht, daß die Krankheit ein verdichteter und abgewandelter Lebenslauf ist, ermöglicht es, die Krankheit von innen her zu erfassen und sich in den Krankheitszustand eines anderen Menschen zu versetzen.

Der pädagogische Aspekt geht aus der Einsicht hervor, daß das menschliche Leben identisch ist mit einem Krankheitsprozeß. Diese hygienische Auffassung des Lebenslaufs macht es möglich, sich vorbereitende Krankheitstendenzen prophylaktisch zu behandeln. Der Überblick über die gesundmachenden und krankmachenden Kräfte gibt die Gelegenheit, die heilenden Faktoren für den jeweils gegebenen Lebensabschnitt zu finden.

«Diese hygienische okkulte Fähigkeit ist auf dem guten Weg und wird verhältnismäßig nicht lange auf sich warten lassen.»[3] Eine neue Fähigkeit will herein in die Menschheit. Indem wir den medizinischen und den pädagogischen Aspekt des hygienischen Okkultismus pflegen, bewegen wir uns ihr entgegen. Es ist eine Konsequenz der Zeitsituation, daß der Mensch dieses Neue nicht nur als ein Gegebenes übernehmen kann, sondern daß er aus Einsicht an seiner Realisierung mitwirken muß.

Anmerkungen

1 Rudolf Steiner, Das Prinzip der spirituellen Ökonomie im Zusammenhang mit Wiederverkörperungsfragen, Vortrag vom 3. Juni 1909 in Budapest, Dornach 1979 (GA 109/111).

2 Rudolf Steiner, Zeitgeschichtliche Betrachtungen – Das Karma der Unwahrhaftigkeit. Erster Teil, Vortrag vom 24. Dezember 1916 in Dornach, Dornach 1978 (GA 173).

3 Rudolf Steiner, Die sozialen Grundforderungen unserer Zeit – In geänderter Zeitlage, Vortrag vom 1. Dezember 1918 in Dornach, Dornach 1990 (GA 186).

4 Rudolf Steiner, Die Geheimwissenschaft im Umriß, Dornach 1989 (GA 13)

5 Walter Holtzapfel, Der Kupferprozeß in der kindlichen Entwicklung. In: Beiträge zur Erweiterung der Heilkunst, Jg. 1955, Seite 77.

6 Rudolf Steiner, Heilpädagogischer Kurs, Vortrag vom 28. Juni 1924 in Dornach, Dornach 1979 (GA 317).

7 Rudolf Steiner, Geisteswissenschaftliche Menschenkunde, Vortrag vom 21. Oktober 1908 in Berlin, Dornach 1988 (GA 107).

8 Goethes Naturwissenschaftliche Schriften. Herausgegeben von Rudolf Steiner, Erster Band, Dornach 1975 (Nachdruck) (GA 1a).

9 Walter Holtzapfel, Krankheit und Heilung als zweiphasiges Geschehen. In: Beiträge zur Erweiterung der Heilkunst, Jg. 1971, Seite 1–10.

10 Rudolf Steiner/Ita Wegman, Grundlegendes für eine Erweiterung der Heilkunst nach geisteswissenschaftlichen Erkenntnissen, Kapitel XV, Dornach 1991 (GA 27).

11 J. Herzberg, Cutane Parameoplasien, Therapeutische Umschau, Jg. 1972, Heft 10.

12 Felix Ungar-Brachat, Zur Erfassung spontaner Tumor-Abwehrprozesse durch thermotopographische Untersuchungen: In: Internationale Rundschau für Physikalische Medizin, Band 10, Heft 4.

13 Rudolf Steiner, Physiologisch-Therapeutisches auf Grundlage der Geisteswissenschaft, Vortrag vom 27. Oktober 1922 in Stuttgart, Dornach 1989 (GA 314).

13a Siehe Anmerkung 6. Vortrag vom 26. Juni 1924.
14 Rudolf Steiner, Menschenschicksale und Völkerschicksale, Vortrag vom 1. September 1914, Dornach 1981 (GA 157).
15 Rudolf Steiner, Meditative Betrachtungen und Anleitungen zur Vertiefung der Heilkunst, Erster Rundbrief vom 11. März 1924, unterzeichnet Rudolf Steiner/Ita Wegman, Dornach 1987 (GA 316).
16 Rudolf Steiner, Die Erziehung des Kindes vom Gesichtspunkt der Geisteswissenschaft. In: «Luzifer-Gnosis», Dornach 1987 (GA 39).
17 Rudolf Steiner, Vom Lebenslauf des Menschen, Ausgewählt von Erhard Fucke, Stuttgart 1980.
18 Herbert Hahn, Der Lebenslauf als Kunstwerk, Stuttgart 1966.
19 Rudolf Treichler, Die Entwicklung der Seele im Lebenslauf, Stuttgart 1981.
20 B. Lievegoed, Lebenskrisen – Lebenschancen, München 1981.
21 Rudolf Steiner, Allgemeine Menschenkunde als Grundlage der Pädagogik, Vortrag vom 21. August 1919 in Stuttgart, Dornach 1992 (GA 293).
22 Rudolf Steiner, Erziehung und Unterricht aus Menschenerkenntnis, Vortrag vom 22. September 1920 in Stuttgart, Dornach 1993 (GA 302a).
23 Rudolf Steiner, Gegenwärtiges Geistesleben und Erziehung, Vortrag vom 16. August 1923, Dornach 1986 (GA 317).
24 Rudolf Steiner, Konferenz mit den Lehrern der Freien Waldorfschule in Stuttgart, Band 2, Konferenz vom 6. Februar 1923, Dornach 1975 (GA 300).
25 Rudolf Steiner, Die Methodik des Lehrens und die Lebensbedingungen des Erziehens. Vortrag vom 8. April 1924 in Stuttgart, Dornach 1986 (GA 308).
26 Walter Holtzapfel, Krankheitsepochen der Kindheit, Stuttgart 1984.
27 Felix Ungar-Brachat, Die Medizinische, Jg. 1954, Seite 1563.
28 Walter Holtzapfel, Seelenpflege-bedürftige Kinder. Zur Heilpädagogik Rudolf Steiners, Band 1, Dornach 1990.
29 Margarethe Hauschka-Stavenhagen, Zur künstlerischen Therapie, Band 1, Bad Boll 1981.
30 Siehe Anmerkung 3.

Quellennachweise

Wendepunkte in der Medizin
aus: W. Holtzapfel, Die Sprache der Krankheit, Dornach 1986.

Zeitgestalten der Krankheit
aus: W. Holtzapfel, Die Sprache der Krankheit, Dornach 1986.

Wohin zielt der medizinische Fortschritt?
aus: W. Holtzapfel, Die Sprache der Krankheit, Dornach 1986.

«Die Medizin muß noch ganz anders werden»:
Novalis und die Medizin
aus: W. Holtzapfel, Die Sprache der Krankheit, Dornach 1986.

Das Rätsel der Legasthenie
aus: W. Holtzapfel, Seelenpflege-bedürftige Kinder I, Dornach 1990 (4. Auflage).

Entwicklung und Vorbeugung der Legasthenie
aus: W. Holtzapfel, Seelenpflege-bedürftige Kinder I, Dornach 1990 (4. Auflage).

Verwandlungen der Kleptomanie
aus: W. Holtzapfel, Seelenpflege-bedürftige Kinder I, Dornach 1990 (4. Auflage).

Auf dem Wege zum hygienischen Okkultismus
aus: W. Holtzapfel, Auf dem Wege zum hygienischen Okkultismus, Dornach 1988 (2. Auflage).

(Die Schriften wurden für diese Taschenbuchausgabe noch vom Autor neu zusammengestellt.)

Editorische Notiz

Dr. med. Walter Holtzapfel verstarb am 13. Januar 1994. Er konnte die hier gesammelten Schriften, die er als Taschenbuch zusmmengestellt hatte, nicht mehr selbst für diese Neuausgabe bearbeiten. Wir drucken die einzelnen Beiträge hier unbearbeitet ab. Da es sich um selbständige, ursprünglich unabhängig voneinander veröffentlichte Artikel/Kapitel handelt, kommen inhaltlich an manchen Punkten gewisse Überschneidungen vor, die aber – so meinen wir – nicht stören, da die Kapitel unabhängig voneinander gelesen werden können und es sich dabei um grundlegende Darstellungen handelt, die dem Autor wichtig waren; zudem behandelt jedes einzelne Kapitel eigene Themen und Aspekte. Insgesamt ergibt sich somit ein einführender Einblick in das schriftliche Schaffen des Arztes und Lehrers Walter Holtzapfel, der, jeder Phrase abhold, immer darum bemüht war, in verständlicher Sprache ein Verständnis der Zusammenhänge zu vermitteln.

Verlag am Goetheanum